Classiques

Collection fondée en 1933 par FÉLIX GUIRAND
continuée par
LÉON LEJEALLE (1949 à 1968) et JEAN-POL CAPUT (1969 à 1972)
Agrégés des Lettres

MARCEL PROUST

À LA RECHERCHE DU TEMPS PERDU

DU CÔTÉ DE
CHEZ SWANN

extraits

avec une Notice biographique, deux Notices historiques et littéraires,
des Notes explicatives, une Documentation thématique,
des Jugements, un Questionnaire et des Sujets de devoirs,

par

JACQUES NATHAN

Agrégé des Lettres
Professeur de Première supérieure au Lycée Janson-de-Sailly

édition remise à jour

LIBRAIRIE LAROUSSE

17, rue du Montparnasse, 75298 PARIS

RÉSUMÉ CHRONOLOGIQUE
DE LA VIE DE MARCEL PROUST
1871-1922

1871 — Le 10 juillet, **naissance** de Valentin Louis Georges Eugène **Marcel Proust à Paris,** chez l'oncle de sa mère, Louis Weil, 96, rue La Fontaine, XVIe arrondissement.

1873 — Naissance de son frère Robert, qui sera médecin.

1880 — **Première crise d'asthme.** Proust en souffrira toute sa vie.

1882 — En octobre, il entre au lycée Fontanes (qui deviendra Condorcet).

1888 — Collaboration à la *Revue verte* et à la *Revue lilas,* préparées par lui et ses camarades. Son professeur de rhétorique est Maxime Gaucher, et son professeur de philosophie Darlu.

1889 — Le 11 novembre, il est **engagé volontaire** au 76e régiment d'infanterie à Orléans, pour un an. Publication de *Violante ou la Mondanité.*

1892-1893 — Proust **collabore au Banquet.** Séjour à Trouville. **Aggravation de la maladie.**

1893-1896 — **Collaboration à** *la Revue blanche.* En 1893, Proust fait la connaissance de **Robert de Montesquiou** chez Madeleine Lemaire.

1894 — Le 30 mai, matinée chez Robert de Montesquiou. Proust est **présenté à la haute société parisienne.** Il fait la connaissance de **Reynaldo Hahn.** Vacances d'été à Trouville.

1895 — Il est reçu à la licence de lettres (philosophie). Le 29 juin, il est nommé attaché non rémunéré à la bibliothèque Mazarine. Il **commence** *Jean Santeuil* qui sera abandonné vers 1900. Voyage en Bretagne avec Reynaldo Hahn. Articles dans *le Gaulois.*

***

1896 — En juin, *les Plaisirs et les jours,* préfacé par Anatole France.

1897 — Le 6 février, duel avec Jean Lorrain à propos des *Plaisirs.*

1898 — Le 14 janvier, Proust signe une « protestation » en faveur de Dreyfus et collecte des signatures.

1899 — **Il découvre l'œuvre de Ruskin,** sur laquelle il commence à travailler avec l'aide de Marie Nordlinger.

1900 — Articles sur Ruskin. Voyage à Venise avec sa mère.

1903 — Sous le pseudonyme de « Dominique » et d' « Horatio », Proust **publie dans** *le Figaro* **une série de** « Salons ».

1904 — *La Mort des cathédrales* dans *le Figaro.* **Traduction de** *la Bible d'Amiens* de Ruskin.

1905 — **Mort de la mère** de Proust le 26 septembre. En décembre, Proust entre à la clinique du docteur Sollier.

1906 — Il s'installe 102, boulevard Haussmann. Il fait tapisser sa chambre de liège. Traduction de *Sésame et les lys,* ouvrage de Ruskin.

1907 — *Sentiments filiaux d'un parricide* dans *le Figaro.*

© *Librairie Larousse,* 1973.

© *Gallimard,* 1913.

ISBN 2-03-870135-0

1908 — *Une grand'mère* et *Impressions de route en automobile*. Pastiches sur Balzac, Flaubert, Sainte-Beuve. En novembre-décembre, Proust demande conseil à Anna de Noailles et à Georges de Lauris sur la façon de présenter son *Sainte-Beuve*.

1909 — Il lit le début de son travail à Reynaldo Hahn. Ce début compte 200 pages. Valette (Mercure de France) refuse de publier l'ouvrage.

1910 — Proust fait sténographier et dactylographier la première partie de son livre, qui s'est développée, pour laquelle il annonce 500 pages.

1912 — *Epines blanches, épines roses* dans le *Figaro* (21 mars). En juillet, le livre a de 1 000 à 1 400 pages (lettres à J.-L. Vaudoyer). Envoi du manuscrit à Fasquelle. En novembre-décembre, remise d'un autre manuscrit par les Bibesco à Gide, qui refusera comme Fasquelle. Le titre est définitivement arrêté : *A la recherche du temps perdu*.

1913 — Refus d'Ollendorf, à qui Louis de Robert avait recommandé le manuscrit. Proust prend Agostinelli comme dactylographe. En février, décision de publier le manuscrit à frais d'auteur chez Grasset. Le 3 décembre, au prix Goncourt, Proust obtient une voix.

1914 — Lettre de Gide à Proust. Le 13 janvier, réponse de Proust. La publication est interrompue lors de la guerre. Mort accidentelle d'Agostinelli au large d'Antibes.

1916 — **Proust fait éditer *A la recherche* par la N. R. F.,** après une rupture amiable avec Grasset.

1919 — *A l'ombre des jeunes filles en fleurs*. **Prix Goncourt.** Le 1er octobre, Proust s'installe 44, rue Hamelin.

1920 — *Le Côté de Guermantes*.

1921 — Préface de *Tendres Stocks* de Paul Morand. Le 24 mai, visite de l'exposition des peintres hollandais au Jeu de paume, où Proust contemple la *Vue de Delft* de **Vermeer**. Il éprouve un grave malaise.

1922 — *Sodome et Gomorrhe*. Le 18 novembre, **mort de Marcel Proust.**

***

Le professeur Proust s'occupe de la publication des œuvres de son frère ; à sa mort, en 1932, Mme Mante-Proust assurera la défense de l'œuvre de son oncle.

1923 — En novembre, *la Prisonnière*.

1925 — En décembre, *Albertine disparue*.

1927 — *Chroniques, le Temps retrouvé*.

1952 — *Jean Santeuil*.

1954 — Publication du **Contre Sainte-Beuve**, suivi des **Nouveaux Mélanges**.

Marcel Proust avait vingt-neuf ans de moins que Mallarmé, vingt-sept de moins que Verlaine et Anatole France, dix-sept ans de moins que Rimbaud, douze ans de moins que Bergson, trois ans de moins que Claudel et Alain, deux ans de moins que Gide. Il avait le même âge que Valéry, deux ans de plus que Péguy et Colette, neuf ans de plus qu'Apollinaire, dix ans de plus que Valery Larbaud, onze ans de plus que Giraudoux, treize ans de plus que Duhamel, quatorze ans de plus que Mauriac, Maurois et Jules Romains, vingt-cinq ans de plus que Montherlant, trente ans de plus que Malraux.

MARCEL PROUST ET SON TEMPS

	la vie et l'œuvre de Marcel Proust	le mouvement intellectuel et artistique	les événements historiques
1871	Naissance de Marcel Proust (10 juillet).	E. Zola : la Fortune des Rougon. A. Rimbaud : « le Bateau ivre ». E. Renan : la Réforme intellectuelle et morale. Débuts de l'impressionnisme.	Fin de la guerre franco-allemande. Chute de Paris. La Commune. Traité de Francfort.
1880	Premières manifestations de la maladie.	Mort de Flaubert. 1885 : mort de Victor Hugo. 1886 : manifeste de l'école symboliste.	1887-1889 : le boulangisme.
1889	Fin des études au lycée Condorcet. Service militaire à Orléans. Collaboration à la Revue verte, à la Revue lilas, au Banquet (1892).	H. Bergson : Essai sur les données immédiates de la conscience. P. Bourget : le Disciple. M. Barrès : Un homme libre. Puvis de Chavannes peint les fresques de la Sorbonne.	Fin de l'agitation boulangiste. Exposition universelle à Paris. 1890 : scandale de Panama.
1896	Les Plaisirs et les jours. Collaboration à la Revue blanche. Portraits de peintres.	Mort de Verlaine. H. Bergson : Matière et mémoire. Paul Valéry : la Soirée avec monsieur Teste. Fondation de l'académie Goncourt. André Gide : les Nourritures terrestres (1897). Barrès : les Déracinés (1897).	Madagascar devient une colonie. 1894-1899 : affaire Dreyfus.
1900	Articles sur Ruskin. Voyage à Venise avec sa mère. Proust retrouve là Marie Nordlinger et Reynaldo Hahn.	E. Rostand : l'Aiglon. M. Barrès : l'Appel au soldat. Paul Claudel : Connaissance de l'Est. Anna de Noailles : le Cœur innombrable (1901). 1902 : mort de Zola.	Loi Millerand sur le travail. 1902-1905 : ministère Combes. 1902 : séparation de l'Église et de l'État.
1904	La Mort des cathédrales dans le Figaro. Traduction de la Bible d'Amiens de Ruskin. 1905 : mort de la mère de Proust.	R. Rolland : premier volume de Jean-Christophe. Colette : Dialogues de bêtes. 1905 : premiers Propos d'Alain.	Entente cordiale franco-anglaise. Guerre russo-japonaise.
1907	Sentiments filiaux d'un parricide dans le Figaro. 1908 : Une grand-mère et Impressions de route en automobile dans le Figaro également. Pastiches sur Balzac, Flaubert, Sainte-Beuve.	Mort de A. Jarry. H. Bergson : l'Évolution créatrice (1906). P. Loti : les Désenchantées (1906).	1906 : A. Fallières est élu président de la République.

1910	Dactylographie de la première partie du livre.	Le cubisme.	Guerre balkanique. 1911 : menace allemande sur Agadir.
1913	Du côté de chez Swann.	M. Barrès : la Colline inspirée. G. Apollinaire : Alcools. Alain-Fournier : le Grand Meaulnes. Valery Larbaud : Poésies de Barnabooth. Ch. Péguy : la Tapisserie de Notre-Dame ; Ève. Naissance de A. Camus en Algérie.	Élection de R. Poincaré à la présidence de la République. Vote de la loi sur le service militaire de trois ans. Guerres balkaniques.
1914	Lettre de Gide à Proust (13 janvier). La publication de la Recherche est interrompue.	Paul Eluard : Poèmes. L. Bloy : le Pèlerin de l'absolu. Mort de Charles Péguy et d'Alain-Fournier. J. Copeau au Vieux-Colombier.	Attentat de Sarajevo. Canal de Panamá. Bataille de la Marne (6-13 septembre).
1919	A l'ombre des jeunes filles en fleurs, qui obtient le prix Goncourt. Proust quitte le boulevard Haussmann pour la rue Hamelin.	R. Dorgelès : les Croix de bois. A. Gide : la Symphonie pastorale. J. Giraudoux : Elpénor. J. Cocteau : le Bœuf sur le toit. Groupe musical des Six (Milhaud, Durey, Honegger, Auric, Poulenc, Tailleferre).	Traité de Versailles. Fondation de la IIIe Internationale. Élections françaises favorables au Bloc national. Création de l'enseignement technique.
1920	Le Côté de Guermantes (tome 1). Préface de Tendres Stocks de Paul Morand.	Colette : Chéri. H. de Montherlant : la Relève du matin. G. Duhamel : la Confession de minuit. Alain : Mars ou la Guerre jugée. Premier manifeste dada. Mort du peintre Modigliani.	Fin du septennat de Poincaré. Élection de A. Millerand à la présidence de la République. Démission de Clemenceau. Opposition du Sénat américain à l'adhésion des Etats-Unis à la S. D. N.
1921	Le Côté de Guermantes (tome II). Sodome et Gomorrhe (tome I). Proust contemple la Vue de Delft de Vermeer au Jeu de paume.	J. Romains : Monsieur Le Trouhadec saisi par la débauche. L. Pirandello : Six Personnages en quête d'auteur. J. Giraudoux : Suzanne et le Pacifique. H.-R. Lenormand : le Simoun. A. Maurois : les Discours du docteur O'Grady.	Ministère A. Briand. Famine en Russie. Lénine fait adopter la N. E. P. (Nouvelle politique économique). Royaume d'Irak.
1922	Sodome et Gomorrhe (tome II). Mort de Marcel Proust à Paris le 18 novembre.	P. Valéry : Charmes. A. Gide : Saül. H. de Montherlant : le Songe. Colette : le Voyage égoïste. J. Giraudoux : Siegfried et le Limousin. Claudel : Poèmes de guerre. Freud : Introduction à la psychanalyse.	Conflit Poincaré-Berthelot. Marche sur Rome de Mussolini. 1923 : occupation de la Ruhr ; Mustafa Kemal chef de l'Etat turc.

BIBLIOGRAPHIE SOMMAIRE

Georges Cattaui — *Marcel Proust* (Paris, Éd. univ., 1959). — *Proust perdu et retrouvé* (Paris, Plon, 1963). — *Proust et ses métamorphoses* (Paris, Nizet, 1973).

Gaëtan Picon — *Lecture de Proust* (Paris, Gallimard, 1963).

George D. Painter — *Marcel Proust* (Paris, Mercure de France, 1966; 2 vol.).

Louis Bolle — *Marcel Proust ou le complexe d'Argus* (Paris, Grasset, 1967).

René de Chantal — *Marcel Proust critique littéraire* (P. U. M. Montréal, Paris, Klincksieck, 1967; 2 vol.).

Jean-Yves Tadié — *Lectures de Proust* (Paris, A. Colin, 1971). — *Proust et le roman* (Paris, Gallimard, 1971). — *Proust* (Paris, Belfond, 1983).

Pierre V. Zima — *le Désir du mythe. Une lecture sociologique de Marcel Proust* (Paris, Nizet, 1973).

Jean-Pierre Richard — *Proust et le monde sensible* (Paris, Éd. du Seuil, 1974).

Jean Milly — *la Phrase de Proust* (Paris, Larousse, 1976).

Victor E. Graham — *Bibliographie des études sur Marcel Proust et son œuvre* (Genève, Droz, 1976).

Gérard Genette et Tzvetan Todorov (sous la dir. de) — *Recherche de Proust* (Paris, Éd. du Seuil, 1980).

Anne Henry — *Marcel Proust; théorie pour une esthétique* (Paris, Klincksieck, 1982). — *Proust romancier* (Paris, Flammarion, 1983).

Alain Buisine — *Proust et ses lettres* (Presses universitaires de Lille, 1983).

DU CÔTÉ DE CHEZ SWANN
1913

NOTICE

Ce qui se passait en 1913. — POLITIQUE INTÉRIEURE : *Succédant à A. Fallières, R. Poincaré est élu président de la République (17 janvier); il est remplacé à la présidence du Conseil par A. Briand; celui-ci, renversé par le Sénat le 18 mars, laisse la place à L. Barthou, qui s'appuie sur la droite. Vote de la loi portant à trois ans la durée du service militaire, malgré l'opposition des socialistes et de l'aile gauche du parti radical-socialiste (7 août). Débats parlementaires relatifs à la réforme électorale et à l'impôt sur le revenu.*

POLITIQUE INTERNATIONALE : *Tension croissante entre la France et l'Allemagne, qui augmente aussi ses préparatifs militaires : la guerre est considérée comme inévitable de part et d'autre. La paix de Londres (30 mai) règle la première phase de la guerre des Balkans : la Serbie, la Grèce et la Bulgarie se partagent les territoires pris aux Turcs, qui ne gardent en Europe que Constantinople. Sur l'initiative de l'Autriche et de l'Italie, création de la principauté d'Albanie, destinée à empêcher la Serbie de s'ouvrir sur l'Adriatique. Rebondissement de la guerre provoqué par la Bulgarie, qui attaque ses anciens alliés (30 juin), mais est battue et perd, au traité de Bucarest (10 août 1913), ses anciennes conquêtes en Macédoine. La situation reste tendue dans les Balkans.*

DANS LES LETTRES. — Roman : *Roger Martin du Gard*, Jean Barois; *Ernest Psichari*, l'Appel des armes; *Maurice Barrès*, la Colline inspirée. *Le grand prix de littérature de l'Académie française est attribué à Romain Rolland pour* Jean-Christophe *(paru de 1904 à 1912).*

Poésie : *Anna de Noailles*, les Vivants et les Morts; *Charles Péguy*, la Tapisserie de Notre-Dame, Ève; *Guillaume Apollinaire* : Alcools.

Théâtre : *Maurice Maeterlinck*, Marie-Magdeleine; *R. de Flers et Caillavet*, l'Habit vert; *Henry Bataille*, les Flambeaux; *Maurice Donnay*, les Éclaireuses. *Jacques Copeau fonde le théâtre du Vieux-Colombier.*

DANS LES ARTS. — Pénélope, *opéra de Gabriel Fauré.* — Vogue du cubisme en peinture.

L'apprentissage et les tâtonnements. — Marcel Proust, adolescent choyé, de santé délicate, vivait dans un milieu tout préoccupé de littérature et d'art. Il élimina très vite de ses projets d'avenir toutes les carrières, sauf celle d'écrivain. Mais quoi écrire, et comment? Sa correspondance, les témoignages de ses amis, le contenu de ses carnets intimes et de ses ébauches, et, sous une forme voilée, son roman lui-même nous font assister à son apprentissage des lettres et à ses crises de découragement. Il recherche des modèles, mais ses goûts sont trop éclectiques pour le guider : comme sa grand-mère et sa mère, il apprécie Mme de Sévigné, George Sand et les romanciers de l'Angleterre victorienne; comme son entourage mondain, les romans psychologiques spécialisés dans la peinture de l'aristocratie; comme ses anciens professeurs, les classiques du XVIIe siècle. A tout cela, il ajoute personnellement Saint-Simon, Balzac, Baudelaire, Flaubert, Sainte-Beuve, et, pendant un certain temps, les livres de l'écrivain anglais John Ruskin consacrés aux cathédrales françaises et à l'art italien. Cette faculté de communier avec des auteurs aussi variés semblait indiquer plutôt la souplesse du critique qu'une conception bien arrêtée de l'art. En fait, pendant toute la période qui s'étend de sa sortie du lycée à la mort de ses parents (1889-1905), l'activité visible de Proust — nous verrons qu'il en existe une autre — prend un caractère de dispersion qu'il se reprochera plus tard. Il fréquente le monde en se donnant à lui-même l'excuse d'observer ses futurs personnages et rédige même, pour les journaux spécialisés, quelques chroniques sur les salons aristocratiques; il publie des articles de critique, des nouvelles et des essais (*les Plaisirs et les Jours*, 1896), compose des pastiches, et traduit deux livres de Ruskin sur un mot à mot préalablement établi par sa mère. Tous considèrent le « petit Proust » — qui a maintenant trente-cinq ans — comme un amateur sans avenir. Cependant, il accumule secrètement les notes : portraits, réflexions, descriptions, de plus en plus longs et suivis. Le tout manque encore d'une idée directrice et va sans but précis, mais on y trouve déjà des morceaux achevés qui passeront sans changement dans son œuvre définitive. Ce sont les Carnets intimes, dont M. Maurois a révélé l'existence et donné des extraits dans *A la recherche de Marcel Proust ;* ce sont surtout ces chapitres autobiographiques, de longueur et de valeur inégales, que l'on a réunis et publiés en 1952 sous le titre de *Jean Santeuil*. Ces chapitres paraissent avoir été écrits pour la plupart entre 1896 et 1900. Nous sommes mal renseignés sur les raisons pour lesquelles Proust a abandonné ces ébauches; il semble qu'il se soit remis au travail tout de suite après la mort de sa mère (1905), et qu'il ait rédigé *Du côté de chez Swann* à peu près en entier entre 1905 et 1909, tandis qu'il composait plusieurs essais assez disparates qu'on a publiés en 1954 sous le titre de *Contre Sainte-Beuve*, et dont certains lui serviront pour son roman. Il est difficile de dire si la conception de l'œuvre à accomplir est apparue à Proust avec la brusquerie et la netteté qu'il peint dans *le Temps retrouvé*, car il a brouillé les pistes à dessein. Mais, sauf pendant quelques mois, entre 1914 et 1916, sous l'effet de la guerre et des chagrins personnels, il s'est désormais consacré à son roman avec la hantise de ne pas pouvoir vivre assez longtemps pour le terminer. En fait, les derniers volumes ont paru après sa mort.

Composition générale de l'œuvre. — En même temps que *Du côté de chez Swann*, Proust avait écrit les dernières pages de son roman, qui contiennent le secret de sa composition. Il est donc impossible de soutenir, comme l'ont fait les premières critiques, qu'*A la recherche du temps perdu* se déroule au hasard et ne comporte qu'un entassement de matériaux à l'état brut. Mais l'œuvre avait de quoi déconcerter ses premiers lecteurs, d'abord parce qu'elle ne ressemblait guère aux romans contemporains, ensuite, et surtout, en raison d'un principe de composition qui régit tout le roman, mais qui ne se révèle qu'à la fin : les dernières pages du dernier volume se raccordent exactement aux premières pages du premier, faisant ainsi de l'ouvrage entier une sorte de tissu sans fin. Ajoutons que le véritable sujet se dérobe plusieurs fois, et n'apparaît de façon certaine qu'au dénouement.

Au début du premier volume, le narrateur, un dormeur qui s'éveille, réussit, grâce à un processus qu'il nous décrit, à restituer dans toute leur fraîcheur ses premiers souvenirs d'enfance : vie heureuse et abritée, protégée par des parents vigilants et toujours semblables à eux-mêmes, qui ont donné à leur fils sur le monde de rassurantes certitudes. Mais cet état dure peu : cet enfant précoce, tourmenté par la crainte d'échouer dans ses ambitions d'écrivain, porte en lui les germes de l'inquiétude. Du reste, il voit peu à peu s'effriter autour de lui, au contact des faits, l'infaillibilité de sa famille et l'échafaudage logique de ses croyances *(Du côté de chez Swann)*. Alors commence la série des épreuves endurées par le narrateur, successivement déçu par l'amour *(A l'ombre des jeunes filles en fleurs)* et dans son respect pour l'aristocratie *(le Côté de Guermantes)*. Partout, il ne trouve que le vice et le malheur *(Sodome et Gomorrhe)*, tandis que lui-même gâche sa vie, en dépit de mystérieux avertissements qu'il ne sait pas déchiffrer, mais qui ont sans aucun doute des rapports avec sa vocation littéraire. Une intrigue sentimentale ne lui apporte que les hantises de la jalousie *(la Prisonnière)* et se termine par une catastrophe brutale *(Albertine disparue)*. La guerre de 1914 achève de détruire les quelques certitudes auxquelles il s'attachait en désespoir de cause, tandis que sa vocation semble s'éteindre faute d'aliments *(le Temps retrouvé)*. C'est alors qu'apparaît un dénouement imprévu, qui éclaire après coup tout le roman. Au cours d'une soirée mondaine, une série de hasards, analogues aux « avertissements » antérieurs, mais plus efficaces parce que le narrateur a désormais renoncé à tout, fait surgir l'illumination sur laquelle il ne comptait plus : la matière première de son livre sera son passé resurgi. Le romancier n'est pas un créateur de fiction,

ni un chroniqueur érudit, et encore bien moins un partisan soucieux
de répandre ses idées. Il n'est pas libre de créer ce qu'il veut;
mais, comme la graine nourrit la plante et meurt, il ne peut nourrir
son œuvre que de lui-même. Plusieurs personnages du roman,
aussi bien doués que lui, n'ont pas réalisé leur œuvre parce qu'ils
ont succombé à des tentations diverses qui les en ont distraits.
Après avoir reçu cette illumination, le narrateur assiste à une dernière soirée mondaine, plus décevante encore que les autres; il se
retire chez lui, se couche, s'endort et se réveille... au premier tome.
C'est lui le dormeur du début. Ainsi le roman constitue à la fois
l'œuvre elle-même et le récit des aventures spirituelles qui ache-
minaient le narrateur vers cette œuvre.

Place et composition de « Du côté de chez Swann ». — On voit
donc le rôle particulier de *Du côté de chez Swann*, le premier roman
de l'ensemble, description d'un paradis perdu entreprise par un
narrateur qui n'est complètement ni l'enfant qu'il évoque ni
l'adulte qu'il est devenu. Quel âge assigner, du reste, à ce singulier
personnage qui va jouer aux Champs-Élysées sous la conduite de
sa bonne, mais qui disserte avec compétence sur les tragédies de
Racine, les étymologies, l'art italien et les tourments de l'amour?
Ainsi s'explique également la succession des épisodes, réunis par
un lien affectif plus que logique. Les premiers souvenirs qui sur-
gissent à l'esprit du narrateur sont sans doute les plus chers à son
cœur, mais ils sont encore fragmentaires et mal ordonnés, capables
tout au plus de placer le lecteur dans l'ambiance particulière de
Combray. Proust les compare lui-même à une « sorte de pan lumineux, découpé au milieu d'indistinctes ténèbres ». Mais le sortilège
de la madeleine et de la tasse de thé fait affleurer à la surface une
vision mieux organisée et plus continue. Alors apparaît la « chronique immémoriale » de Combray, avec les habitudes rituelles, les
familiers, les voisins immédiats, et d'autres plus lointains : M. Swann
et la duchesse de Guermantes, symboles de deux mondes opposés.
Parallèlement au thème du bonheur se déroule pourtant celui
de l'inquiétude : le narrateur découvre très tôt que ses parents,
malgré leur puissance de génies bienfaisants, ne peuvent pas conférer à leur fils le talent littéraire. Or, même sans aller bien loin,
l'enfant trouve des exemples capables d'aviver ses scrupules : celui
de Legrandin et surtout celui de Swann, écrivain en puissance à
qui n'a manqué pour produire que de renoncer aux tentations du
monde et de l'amour; celui de Vinteuil qui, lui, a tout sacrifié à
la musique : il a composé sans en avoir conscience une œuvre
géniale, mais il vit aux environs de Combray, malheureux et obscur.
Et le narrateur n'arrive pas même à traduire correctement sur le
papier l'impression d'extase que lui a laissée un paysage lors d'une
promenade en voiture.
    C'est cette idée directrice de vocation littéraire qui nous permet

de remonter de quinze ans en arrière sans que se trouve rompu le fil du récit. Nous avons déjà pressenti par certains détails les affinités qui existent entre Swann et le narrateur. « Un amour de Swann » constitue une sorte de conte philosophique destiné à montrer que, pour avoir voulu mêler l'art et l'amour, ce personnage a échoué sur les deux plans : parce qu'une femme lui rappelait une figure de Botticelli, il a cru l'aimer, quoiqu'elle fût indigne de lui, et, entraîné par elle dans un cercle de faux lettrés qui lui ont fait perdre son temps, a été torturé par la jalousie au point de renoncer à écrire et, après plusieurs brouilles, a fini par l'épouser au moment où il ne l'aimait plus. Il ne s'est jamais remis à son travail de critique d'art.

Le roman se termine par un épisode dont le titre au moins est déconcertant : « Noms de pays : le nom ». Il semble signifier — mais qu'entendre exactement par le mot pays ? — que le narrateur va s'élever de considérations particulières sur les noms géographiques à une théorie générale sur les rapports entre le nom propre et la réalité qu'il incarne, méditation valable à la fois pour les lieux et les personnes. Proust nous donne bien en effet des réflexions de ce genre à propos d'un voyage manqué en Italie, mais *Du côté de chez Swann* s'achève d'une autre façon : un nouvel obstacle à sa vocation littéraire va naître pour le narrateur : son amour non partagé pour Gilberte, la fille de M. Swann.

La peinture de la société. — Dans *Du côté de chez Swann*, le narrateur a-t-il vu la société avec ses yeux d'enfant, ou reflète-t-il les conceptions de Proust lui-même ? Il est difficile de répondre. Tout au plus peut-on signaler que cette société reste à peu près semblable à elle-même dans les trois romans suivants, bien que le narrateur ait pris de l'âge, et que, si dans les derniers tomes elle s'altère, il est bien précisé que c'est elle qui a changé plus que celui qui la dépeint. Quoi qu'il en soit, essayons d'en dégager les caractères essentiels.

Proust remarque, avec beaucoup d'écrivains de son temps, que les classes sociales sont très étanches. Mais ce que les autres déploraient presque tous devient pour lui une garantie de valeur esthétique et morale. Comme le Dieu de Proust, s'il existe, est très lointain et ne se mêle pas aux affaires terrestres, comme la personnalité humaine est un tout vacillant et perpétuellement remis en question, l'homme ne peut trouver qu'un point fixe pour résister aux tentations du mal : c'est la subordination à la morale particulière de sa classe sociale et la fidélité au passé de cette classe.

Les nobles appartiennent à ce passé par l'histoire de leur famille, véridique et légendaire à la fois, par leur nom, que Proust compare à plusieurs reprises à un beau monument intact, par la subtilité de sens et la fière allure que leur donne une pratique ancestrale du monde et des biens de fortune. Ils ont raison d'exclure de leur intimité ceux qui incarnent le temps présent ; mais ils ont tort quelquefois, et ils se rendent ridicules surtout quand ils se mêlent de professer des idées avancées et de trancher des choses de l'esprit.

A côté d'eux, la bourgeoisie est, elle aussi, héritière de traditions vénérables, mais différentes. C'est la classe à laquelle appartiennent les parents du narrateur, M. Swann, et la plupart des personnages qui, dans le roman, exercent un métier ou un art. Aussi est-il très difficile de dissocier leurs traditions familiales, qui poussent très loin les vertus morales et le raffinement matériel, des diverses formes de la conscience professionnelle. Une chose est claire en tout cas : celui qui rompt avec le patrimoine moral bourgeois s'amoindrit, que ce soit Legrandin par snobisme, Swann à cause de sa liaison, ou les Verdurin pour adopter d'autres conventions plus astreignantes que celles qu'ils ont quittées, et beaucoup moins profitables.

Les professions — au sens large — peuvent du reste conférer à certaines personnes qui les exercent avec conscience une sorte de bourgeoisie d'honneur, de même qu'autrefois certaines charges conféraient la noblesse. C'est ce qui arrive à Françoise, la femme de chambre, au curé de Combray, tout dévoué du reste à son église plutôt qu'à son Dieu, même au docteur Cottard, que le narrateur préfère, malgré ses calembours et ses impairs, au brillant docteur du Boulbon, qui ne croit pas à la médecine. C'est enfin le cas de Vinteuil et, dans *Du côté de chez Swann* — car il changera par la suite —, celui du romancier Bergotte. A la fin du *Temps retrouvé*, le narrateur s'intégrera à la catégorie des artistes. Jusque-là, il flottera à la dérive entre la bourgeoisie et la noblesse, les jugeant toutes les deux et ne se reconnaissant tout à fait solidaire d'aucune.

Les personnages et les « clés ». — Aussi n'est-il pas étonnant que dans cet univers subjectif ne figure aucun personnage qui ne représente que lui-même. Nous voyons tous les personnages à travers le narrateur, et tous ont avec lui des relations subtiles, qui ne les empêchent pas de vivre de leur vie propre. Laissons de côté les figurants qui jalonnent la bienheureuse régularité de la vie à Combray, régularité abolie au moment où Proust écrit. Les parents du narrateur sont les dieux tutélaires de son univers d'enfant, destinés à perdre peu à peu le prestige de la puissance et de l'infaillibilité. Certains d'entre eux, comme la tante Léonie, possèdent des travers qu'ils ont légués à l'auteur, et Proust en les dépeignant se moque de lui-même par personne interposée. Gilberte représente la tentation de l'amour, que le narrateur devra surmonter ; les Verdurin et les habitués de leur salon, une fausse conception de l'art qui consomme la perte des artistes bien doués attirés par la facilité. Seul le peintre Elstir, qui n'est encore que M. Biche, sera sauvé par son travail acharné de renouvellement. Nous avons déjà montré les analogies entre Swann et le narrateur, et la valeur d'exemple que prenait son échec. Le romancier Bergotte jouera à peu près le même rôle quelques volumes plus tard, quand il sera gâté par le succès et se bornera à se répéter.

Si tous les personnages se situent surtout par rapport au narrateur, c'est dire que les « clés » que l'on a données à propos de certains d'entre eux ne les expliquent pas en entier. Les parents ressemblent à ceux de l'auteur, mais avec quelques différences. Deux ou trois originaux ont fourni Swann de traits complémentaires et parfois contradictoires ; Anatole France n'explique pas entièrement Bergotte, pas plus que la sonate de Vinteuil n'existe intégralement dans la réalité. Bien plus, on relève à chaque instant de nouvelles différences, certainement intentionnelles, entre Proust lui-même et celui qui dit « je » dans le roman. Il faut sans cesse se souvenir des déclarations de l'auteur expliquant qu'un bon romancier ne doit en aucun cas photographier le réel.

Les styles de Proust. — C'est au style de Proust que sont allés au début les sarcasmes de ses détracteurs. La critique universitaire et les diverses catégories de romanciers, ainsi que les auteurs dramatiques avaient mis à la mode autour des années 1900 une phrase brève et précise, au contenu variable selon le genre, mais toujours intelligible à première lecture. Seuls quelques poètes symbolistes, que du reste Proust n'aimait pas, l'avaient précédé dans le maniement de la phrase longue et sinueuse, qui repart sur un relatif ou une conjonction. On trouva *Du côté de chez Swann* obscur, et même incorrect, en raison de quelques négligences ; et l'on compara le style proustien à ces édifices de métal tordu et de verre étiré qui avaient fâcheusement pullulé au début du siècle. Était-ce mérité ?

Reconnaissons avec ses détracteurs que Proust n'a pas toujours établi sa ponctuation avec tout le soin désirable, et qu'il a versé dans des propositions incidentes le trop-plein de sa pensée, sans toujours se soucier des raccords. Déplorons que par un malencontreux hasard les premières pages de l'œuvre soient, et de beaucoup, les plus difficiles à suivre. Mais les autres griefs sont peu à à peu tombés en désuétude.

D'abord, il existe moins un style de Proust que des styles, selon qu'il raconte, qu'il explique, qu'il parle ou qu'il fait parler les autres. Les salons médisants constituaient une excellente école d'imitations satiriques. Proust était célèbre pour les siennes ; il a écrit par ailleurs des pastiches, et il est devenu banal de souligner l'exactitude du vocabulaire et du rythme avec laquelle il a rendu le langage de ses personnages. Son récit est toujours parfaitement clair, et les quelques surcharges qu'on pourrait relever sont presque toujours dues au désir de marquer la suite des faits, ou leurs relations avec leurs multiples causes. Quant à ses phrases explicatives, elles traduisent des nuances d'autant plus délicates qu'elles prennent bien souvent le contrepied de l'opinion couramment reçue et qu'il lui faut écarter l'erreur avant de faire admettre la vérité, à grand renfort de faits, de comparaisons et de raisonnements analogiques. Proust sur ce point n'a pas fait école, car, pour écrire comme lui, il aurait fallu avoir à dire les mêmes choses; mais un public de plus en plus large s'est habitué à son style et n'y voit plus la moindre obscurité. Proust est même un des rares auteurs français contemporains qui soient aussi lus en traduction que dans le texte original, et sa pensée, qui semblait si particulière, pénètre facilement dans les pays les plus différents de la France. On a compris que cette peinture des duchesses et des snobs de 1900 pouvait avoir une valeur universelle.

Les chiffres gras entre parenthèses, placés dans le texte, renvoient aux Questions, qui se trouvent à la fin du volume.

DU CÔTÉ DE CHEZ SWANN

[Dans les premières pages du roman, nous assistons au récit du narrateur endormi : déjà il évoque son enfance, le bourg de Combray, sa famille et certains amis de ses parents, notamment M. Swann. Nous apprenons que ces souvenirs viennent de resurgir dans sa mémoire avec une telle netteté grâce à une coïncidence : le goût d'une madeleine qu'il a trempée machinalement dans sa tasse de thé, comme il ne l'avait pas fait depuis qu'il était enfant.]

Combray[1], de loin, à dix lieues à la ronde, vu du chemin de fer quand nous y arrivions la dernière semaine avant Pâques, ce n'était qu'une église résumant la ville, la représentant, parlant d'elle et pour elle aux lointains, et, quand on approchait, tenant serrés autour de sa haute mante sombre, en plein champ, contre le vent, comme une pastoure ses brebis, les dos laineux et gris des maisons rassemblées qu'un reste de remparts du moyen âge cernait çà et là d'un trait aussi parfaitement circulaire qu'une petite ville dans un tableau de primitif. A l'habiter, Combray était un peu triste, comme ses rues dont les maisons construites en pierres noirâtres du pays, précédées de degrés extérieurs, coiffées de pignons qui rabattaient l'ombre devant elles, étaient assez obscures pour qu'il fallût dès que le jour commençait à tomber relever les rideaux dans les « salles »; des rues aux graves noms de saints (desquels plusieurs se rattachaient à l'histoire des premiers seigneurs de Combray) : rue Saint-Hilaire, rue Saint-Jacques où était la maison de ma tante, rue Sainte-Hildegarde où donnait la grille, et rue du Saint-Esprit sur laquelle s'ouvrait la petite porte latérale de son jardin; et ces rues de Combray existent dans une partie de ma mémoire si reculée, peintes de couleurs si différentes de celles qui maintenant revêtent pour moi le monde, qu'en vérité elles me paraissent toutes, et l'église qui les dominait sur la Place, plus irréelles encore que les

---

1. *Combray* : Illiers, bourg d'Eure-et-Loir, dont était originaire la famille paternelle de l'auteur. Les noms de rues et les indications topographiques sont à peu près conformes à la réalité (cf. A. Ferré, *Géographie de Marcel Proust*, et la carte de la page 2)

projections de la lanterne magique ; et qu'à certains moments,
il me semble que pouvoir encore traverser la rue Saint-
Hilaire, pouvoir louer une chambre rue de l'Oiseau — à la
vieille hôtellerie de l'Oiseau flesché, des soupiraux de
laquelle montait une odeur de cuisine qui s'élève encore
par moments en moi aussi intermittente et aussi chaude —
serait une entrée en contact avec l'Au-delà plus merveil-
leusement surnaturelle que de faire la connaissance de
Golo[1] et de causer avec Geneviève de Brabant.

La cousine de mon grand-père — ma grand'tante — chez
qui nous habitions, était la mère de cette tante Léonie qui,
depuis la mort de son mari, mon oncle Octave, n'avait plus
voulu quitter, d'abord Combray, puis à Combray sa maison,
puis sa chambre, puis son lit et ne « descendait » plus,
toujours couchée dans un état incertain de chagrin, de
débilité physique, de maladie, d'idée fixe et de dévotion.
Son appartement particulier donnait sur la rue Saint-Jacques
qui aboutissait beaucoup plus loin au Grand-Pré (par opposition au Petit-Pré, verdoyant au milieu de la ville, entre
trois rues), et qui, unie, grisâtre, avec les trois hautes
marches de grès presque devant chaque porte, semblait
comme un défilé pratiqué par un tailleur d'images gothiques
à même la pierre où il eût sculpté une crèche ou un calvaire.
Ma tante n'habitait plus effectivement que deux chambres
contiguës, restant l'après-midi dans l'une pendant qu'on
aérait l'autre. C'étaient de ces chambres de province qui
— de même qu'en certains pays des parties entières de l'air
ou de la mer sont illuminées ou parfumées par des myriades
de protozoaires que nous ne voyons pas — nous enchantent
des mille odeurs qu'y dégagent les vertus, la sagesse, les
habitudes, toute une vie secrète, invisible, surabondante et
morale que l'atmosphère y tient en suspens ; odeurs naturelles encore, certes, et couleur du temps comme celles de
la campagne voisine, mais déjà casanières, humaines et
renfermées, gelée exquise, industrieuse et limpide de tous
les fruits de l'année qui ont quitté le verger pour l'armoire ;
saisonnières, mais mobilières et domestiques, corrigeant le

---

1. Ce conte populaire se trouve déjà dans *la Légende dorée*. On y voit la
femme du comte Siegfried de Trèves, Geneviève de Brabant, odieusement
calomniée par le sénéchal Golo, intendant du comte. D'autres passages du
roman nous apprennent que le narrateur possédait des vues de lanterne magique
relatives à cette histoire, et que les ducs de Guermantes prétendaient descendre
de Geneviève de Brabant.

piquant de la gelée blanche par la douceur du pain chaud, oisives et ponctuelles comme une horloge de village, flâneuses et rangées, insoucieuses et prévoyantes, lingères, matinales, dévotes, heureuses d'une paix qui n'apporte qu'un surcroît d'anxiété et d'un prosaïsme qui sert de grand réservoir de poésie à celui qui les traverse sans y avoir vécu. L'air y était saturé de la fine fleur d'un silence si nourricier, si succulent, que je ne m'y avançais qu'avec une sorte de gourmandise, surtout par ces premiers matins encore froids de la semaine de Pâques où je le goûtais mieux parce que je venais seulement d'arriver à Combray : avant que j'entrasse souhaiter le bonjour à ma tante, on me faisait attendre un instant dans la première pièce où le soleil, d'hiver encore, était venu se mettre au chaud devant le feu, déjà allumé entre les deux briques et qui badigeonnait toute la chambre d'une odeur de suie, en faisait comme un de ces grands « devants de four » de campagne, ou de ces manteaux de cheminée de châteaux, sous lesquels on souhaite que se déclarent dehors la pluie, la neige, même quelque catastrophe diluvienne pour ajouter au confort de la réclusion la poésie de l'hivernage; je faisais quelques pas du prie-Dieu aux fauteuils en velours frappé, toujours revêtus d'un appui-tête au crochet; et le feu cuisant comme une pâte les appétissantes odeurs dont l'air de la chambre était tout grumeleux et qu'avait déjà fait travailler et « lever » la fraîcheur humide et ensoleillée du matin, il les feuilletait, les dorait, les godait, les boursou-flait, en faisant un invisible et palpable gâteau provincial, un immense « chausson » où, à peine goûtés les arômes plus croustillants, plus fins, plus réputés, mais plus secs aussi du placard, de la commode, du papier à ramages, je revenais toujours avec une convoitise inavouée m'engluer dans l'odeur médiane, poisseuse, fade, indigeste et fruitée du couvre-lit à fleurs (**1**).

Dans la chambre voisine, j'entendais ma tante qui causait toute seule à mi-voix. Elle ne parlait jamais qu'assez bas parce qu'elle croyait avoir dans la tête quelque chose de cassé et de flottant qu'elle eût déplacé en parlant trop fort, mais elle ne restait jamais longtemps, même seule, sans dire quelque chose, parce qu'elle croyait que c'était salutaire pour sa gorge et qu'en empêchant le sang de s'y arrêter, cela rendrait moins fréquents les étouffements et les angoisses dont elle souffrait; puis, dans l'inertie absolue où elle vivait, elle prêtait à ses moindres sensations une importance extraordinaire; elle les douait d'une motilité qui lui rendait difficile de les garder pour elle, et à défaut de confident à qui les communiquer, elle se les annonçait à elle-même, en un perpétuel monologue qui était sa seule forme d'activité. Malheureusement, ayant pris l'habitude de penser tout haut, elle ne faisait pas toujours attention à ce qu'il n'y eût personne dans la chambre voisine, et je l'entendais souvent se dire à elle-même : « Il faut que je me rappelle bien que je n'ai pas dormi » (car ne jamais dormir était sa grande prétention dont notre langage à tous gardait le respect et la trace : le matin Françoise ne venait pas « l'éveiller », mais « entrait » chez elle; quand ma tante voulait faire un somme dans la journée, on disait qu'elle voulait « réfléchir » ou « reposer »; et quand il lui arrivait de s'oublier en causant jusqu'à dire : « ce qui m'a réveillée » ou « j'ai rêvé que », elle rougissait et se reprenait au plus vite).

Au bout d'un moment, j'entrais l'embrasser; Françoise faisait infuser son thé; ou, si ma tante se sentait agitée, elle demandait à la place sa tisane, et c'était moi qui étais chargé de faire tomber du sac de pharmacie dans une assiette la quantité de tilleul qu'il fallait mettre ensuite dans l'eau bouillante. Le desséchement des tiges les avait incurvées en un capricieux treillage dans les entrelacs duquel s'ouvraient les fleurs pâles, comme si un peintre les eût arrangées, les eût fait poser de la façon la plus ornementale. Les feuilles, ayant perdu ou changé leur aspect, avaient l'air des choses les plus disparates, d'une aile transparente de mouche, de l'envers blanc d'une étiquette, d'un pétale de rose, mais qui eussent été empilées, concassées ou tressées comme dans la confection d'un nid. Mille petits détails inutiles — charmante prodigalité du pharmacien — qu'on eût supprimés dans une préparation factice, me donnaient, comme un livre où on s'émerveille de rencontrer le nom d'une personne de connaissance, le plaisir de comprendre que c'était bien des tiges de vrais tilleuls, comme ceux que je voyais avenue de la Gare, modifiées, justement parce que c'étaient non des doubles, mais elles-mêmes et qu'elles avaient vieilli. Et chaque caractère nouveau n'y étant que la métamorphose d'un caractère ancien, dans de petites boules grises je reconnaissais les boutons verts qui ne sont pas venus à terme; mais surtout l'éclat rose, lunaire et doux

qui faisait se détacher les fleurs dans la forêt fragile des tiges
où elles étaient suspendues comme de petites roses d'or —
signe, comme la lueur qui révèle encore sur une muraille
la place d'une fresque effacée, de la différence entre les
parties de l'arbre qui avaient été « en couleur » et celles qui
ne l'avaient pas été — me montrait que ces pétales étaient
bien ceux qui avant de fleurir le sac de pharmacie avaient
embaumé les soirs de printemps. Cette flamme rose de
cierge, c'était leur couleur encore, mais à demi éteinte et
assoupie dans cette vie diminuée qu'était la leur maintenant
et qui est comme le crépuscule des fleurs. Bientôt ma tante
pouvait tremper dans l'infusion bouillante dont elle savou-
rait le goût de feuille morte ou de fleur fanée une petite
madeleine dont elle me tendait un morceau quand il était
suffisamment amolli.

D'un côté de son lit était une grande commode jaune
en bois de citronnier et une table qui tenait à la fois de
l'officine et du maître-autel, où, au-dessus d'une statuette
de la Vierge et d'une bouteille de Vichy-Célestins, on trouvait des livres de messe et des ordonnances de médicaments,
tout ce qu'il fallait pour suivre de son lit les offices et son
régime, pour ne manquer l'heure ni de la pepsine[1], ni des
vêpres. De l'autre côté, son lit longeait la fenêtre, elle avait
la rue sous les yeux et y lisait du matin au soir, pour se
désennuyer, à la façon des princes persans, la chronique
quotidienne mais immémoriale de Combray, qu'elle com-
mentait ensuite avec Françoise.

Je n'étais pas avec ma tante depuis cinq minutes, qu'elle
me renvoyait par peur que je la fatigue. Elle tendait à mes
lèvres son triste front pâle et fade sur lequel, à cette heure
matinale, elle n'avait pas encore arrangé ses faux cheveux,
et où les vertèbres[2] transparaissaient comme les pointes
d'une couronne d'épines ou les grains d'un rosaire, et elle
me disait : « Allons, mon pauvre enfant, va-t'en, va te
préparer pour la messe; et si en bas tu rencontres Françoise, dis-lui de ne pas s'amuser trop longtemps avec vous,
qu'elle monte bientôt voir si je n'ai besoin de rien (2). »

Françoise, en effet, qui était depuis des années à son
service et ne se doutait pas alors qu'elle entrerait un jour
tout à fait au nôtre, délaissait un peu ma tante pendant les

---

1. *Pepsine* : stimulant de l'estomac; 2. Négligence de Proust devenue célèbre.
La tradition veut qu'elle ait indisposé André Gide contre le roman tout entier.

mois où nous étions là. Il y avait eu dans mon enfance, avant que nous allions à Combray, quand ma tante Léonie passait encore l'hiver à Paris chez sa mère, un temps où je connaissais si peu Françoise que, le 1er janvier, avant d'entrer chez ma grand'tante, ma mère me mettait dans la main une pièce de cinq francs et me disait : « Surtout ne te trompe pas de personne. Attends pour donner que tu m'entendes dire : « Bonjour Françoise »; en même temps je te toucherai légèrement le bras. » A peine arrivions-nous dans l'obscure antichambre de ma tante que nous apercevions dans l'ombre, sous les tuyaux d'un bonnet éblouissant, raide et fragile comme s'il avait été de sucre filé, les remous concentriques d'un sourire de reconnaissance anticipé. C'était Françoise, immobile et debout dans l'encadrement de la petite porte du corridor comme une statue de sainte dans sa niche. Quand on était un peu habitué à ces ténèbres de chapelle, on distinguait sur son visage l'amour désintéressé de l'humanité, le respect attendri pour les hautes classes qu'exaltait dans les meilleures régions de son cœur l'espoir des étrennes. Maman me pinçait le bras avec violence et disait d'une voix forte : « Bonjour Françoise. » A ce signal mes doigts s'ouvraient et je lâchais la pièce qui trouvait pour la recevoir une main confuse, mais tendue. Mais depuis que nous allions à Combray je ne connaissais personne mieux que Françoise; nous étions ses préférés, elle avait pour nous, au moins pendant les premières années, avec autant de considération que pour ma tante, un goût plus vif, parce que nous ajoutions, au prestige de faire partie de la famille (elle avait pour les liens invisibles que noue entre les membres d'une famille la circulation d'un même sang, autant de respect qu'un tragique grec), le charme de n'être pas ses maîtres habituels. Aussi, avec quelle joie elle nous recevait, nous plaignant de n'avoir pas encore plus beau temps, le jour de notre arrivée, la veille de Pâques, où souvent il faisait un vent glacial, quand maman lui demandait des nouvelles de sa fille et de ses neveux, si son petit-fils était gentil, ce qu'on comptait faire de lui, s'il ressemblait à sa grand'mère.

Et quand il n'y avait plus de monde là, maman, qui savait que Françoise pleurait encore ses parents morts depuis des années, lui parlait d'eux avec douceur, lui demandait mille détails sur ce qu'avait été leur vie.

Elle avait deviné que Françoise n'aimait pas son gendre et qu'il lui gâtait le plaisir qu'elle avait à être avec sa fille, avec qui elle ne causait pas aussi librement quand il était là. Aussi, quand Françoise allait les voir, à quelques lieues de Combray, maman lui disait en souriant : « N'est-ce pas Françoise, si Julien a été obligé de s'absenter et si vous avez Marguerite à vous toute seule pour toute la journée, vous serez désolée, mais vous vous ferez une raison ? » Et Françoise disait en riant : « Madame sait tout ; madame est pire que les rayons X (elle disait x avec une difficulté affectée et un sourire pour se railler elle-même, ignorante, d'employer ce terme savant), qu'on a fait venir pour Mme Octave et qui voient ce que vous avez dans le cœur », et disparaissait, confuse qu'on s'occupât d'elle, peut-être pour qu'on ne la vît pas pleurer ; maman était la première personne qui lui donnât cette douce émotion de sentir que sa vie, ses bonheurs, ses chagrins de paysanne pouvaient présenter de l'intérêt, être un motif de joie ou de tristesse pour une autre qu'elle-même. Ma tante se résignait à se priver un peu d'elle pendant notre séjour, sachant combien ma mère appréciait le service de cette bonne si intelligente et active, qui était aussi belle dès cinq heures du matin dans sa cuisine, sous son bonnet dont le tuyautage éclatant et fixe avait l'air d'être en biscuit, que pour aller à la grand'messe ; qui faisait tout bien, travaillant comme un cheval, qu'elle fût bien portante ou non, mais sans bruit, sans avoir l'air de rien faire, la seule des bonnes de ma tante qui, quand maman demandait de l'eau chaude ou du café noir, les apportait vraiment bouillants ; elle était un de ces serviteurs qui, dans une maison, sont à la fois ceux qui déplaisent le plus au premier abord à un étranger, peut-être parce qu'ils ne prennent pas la peine de faire sa conquête et n'ont pas pour lui de prévenance, sachant très bien qu'ils n'ont aucun besoin de lui, qu'on cesserait de le recevoir plutôt que de les renvoyer ; et qui sont en revanche ceux à qui tiennent le plus les maîtres qui ont éprouvé leurs capacités réelles, et ne se soucient pas de cet agrément superficiel, de ce bavardage servile qui fait favorablement impression à un visiteur, mais qui recouvre souvent une inéducable nullité (3).

Quand Françoise, après avoir veillé à ce que mes parents eussent tout ce qu'il leur fallait, remontait une première

fois chez ma tante pour lui donner sa pepsine et lui demander
ce qu'elle prendrait pour déjeuner, il était bien rare qu'il ne
lui fallût pas donner déjà son avis ou fournir des explications sur quelque événement d'importance :

— Françoise, imaginez-vous que Mme Goupil est passée
plus d'un quart d'heure en retard pour aller chercher sa
sœur; pour peu qu'elle s'attarde sur son chemin, cela ne me
surprendrait point qu'elle arrive après l'élévation.

— Hé! il n'y aurait rien d'étonnant, répondait Françoise.

— Françoise, vous seriez venue cinq minutes plus tôt,
vous auriez vu passer Mme Imbert qui tenait des asperges
deux fois grosses comme celles de la mère Callot; tâchez
donc de savoir par sa bonne où elle les a eues. Vous qui,
cette année, nous mettez des asperges à toutes les sauces,
vous auriez pu en prendre de pareilles pour nos voyageurs.

— Il n'y aurait rien d'étonnant qu'elles viennent de chez
M. le Curé, disait Françoise.

— Ah! je vous crois bien, ma pauvre Françoise, répondait
ma tante en haussant les épaules. Chez M. le Curé! Vous
savez bien qu'il ne fait pousser que de méchantes petites
asperges de rien. Je vous dis que celles-là étaient grosses
comme le bras. Pas comme le vôtre, bien sûr, mais comme
mon pauvre bras qui a encore tant maigri cette année...
Françoise, vous n'avez pas entendu ce carillon qui m'a
cassé la tête?

— Non, madame Octave.

— Ah! ma pauvre fille, il faut que vous l'ayez solide votre
tête, vous pouvez remercier le Bon Dieu. C'était la Mague-
lone qui était venue chercher le docteur Piperaud. Il est
ressorti tout de suite avec elle et ils ont tourné par la rue
de l'Oiseau. Il faut qu'il y ait quelque enfant de malade.

— Eh! là, mon Dieu, soupirait Françoise, qui ne pouvait
pas entendre parler d'un malheur arrivé à un inconnu, même
dans une partie du monde éloignée, sans commencer à
gémir.

— Françoise, mais pour qui donc a-t-on sonné la cloche
des morts? Ah! mon Dieu, ce sera pour Mme Rousseau.
Voilà-t-il pas que j'avais oublié qu'elle a passé l'autre nuit.
Ah! il est temps que le Bon Dieu me rappelle, je ne sais
plus ce que j'ai fait de ma tête depuis la mort de mon pauvre
Octave. Mais je vous fais perdre votre temps, ma fille.

— Mais non, madame Octave, mon temps n'est pas si

cher; celui qui l'a fait ne nous l'a pas vendu. Je vas seulement voir si mon feu ne s'éteint pas.

Ainsi Françoise et ma tante appréciaient-elles ensemble,
au cours de cette séance matinale, les premiers événements
du jour. Mais quelquefois ces événements revêtaient un
caractère si mystérieux et si grave que ma tante sentait
qu'elle ne pourrait pas attendre le moment où Françoise
monterait, et quatre coups de sonnette formidables reten-
tissaient dans la maison.

— Mais, madame Octave, ce n'est pas encore l'heure de
la pepsine, disait Françoise. Est-ce que vous vous êtes senti
une faiblesse?

— Mais non, Françoise, disait ma tante, c'est-à-dire, si,
vous savez bien que maintenant les moments où je n'ai pas
de faiblesse sont bien rares; un jour je passerai comme
Mme Rousseau sans avoir eu le temps de me reconnaître;
mais ce n'est pas pour cela que je sonne. Croyez-vous pas
que je viens de voir comme je vous vois Mme Goupil avec
une fillette que je ne connais point? Allez donc chercher
deux sous de sel chez Camus. C'est bien rare si Théodore
ne peut pas vous dire qui c'est.

— Mais ça sera la fille à M. Pupin, disait Françoise qui
préférait s'en tenir à une explication immédiate, ayant été
déjà deux fois depuis le matin chez Camus.

— La fille à M. Pupin! Oh! je vous crois bien, ma
pauvre Françoise! Avec cela que je ne l'aurais pas reconnue?

— Mais je ne veux pas dire la grande, madame Octave,
je veux dire la gamine, celle qui est en pension à Jouy. Il
me ressemble de l'avoir déjà vue ce matin.

— Ah! à moins de ça, disait ma tante. Il faudrait qu'elle
soit venue pour les fêtes. C'est cela! Il n'y a pas besoin de
chercher, elle sera venue pour les fêtes. Mais alors nous
pourrions bien voir tout à l'heure Mme Sazerat venir sonner
chez sa sœur pour le déjeuner. Ce sera ça! J'ai vu le petit
de chez Galopin qui passait avec une tarte! Vous verrez
que la tarte allait chez Mme Goupil.

— Dès l'instant que Mme Goupil a de la visite, madame
Octave, vous n'allez pas tarder à voir tout son monde rentrer
pour le déjeuner, car il commence à ne plus être de bonne
heure, disait Françoise qui, pressée de redescendre s'occuper
du déjeuner, n'était pas fâchée de laisser à ma tante cette
distraction en perspective.

— Oh! pas avant midi, répondait ma tante d'un ton résigné, tout en jetant sur la pendule un coup d'œil inquiet, mais furtif pour ne pas laisser voir qu'elle, qui avait renoncé à tout, trouvait pourtant, à apprendre que Mme Goupil avait à déjeuner, un plaisir aussi vif, et qui se ferait malheureusement attendre encore un peu plus d'une heure. « Et encore cela tombera pendant mon déjeuner! » ajoutait-elle à mi-voix pour elle-même. Son déjeuner lui était une distraction suffisante pour qu'elle n'en souhaitât pas une autre en même temps. « Vous n'oublierez pas au moins de me donner mes œufs à la crème dans une assiette plate? » C'étaient les seules qui fussent ornées de sujets, et ma tante s'amusait à chaque repas à lire la légende de celle qu'on lui servait ce jour-là. Elle mettait ses lunettes, déchiffrait : Ali-Baba et les quarante voleurs. Aladin ou la Lampe merveilleuse, et disait en souriant : Très bien, très bien.

— Je serais bien allée chez Camus... disait Françoise en voyant que ma tante ne l'y enverrait plus.

— Mais non, ce n'est plus la peine, c'est sûrement Mlle Pupin. Ma pauvre Françoise, je regrette de vous avoir fait monter pour rien (**4**).

Mais ma tante savait bien que ce n'était pas pour rien qu'elle avait sonné Françoise, car, à Combray, une personne « qu'on ne connaissait point » était un être aussi peu croyable qu'un dieu de la mythologie et, de fait, on ne se souvenait pas que, chaque fois que s'était produite, dans la rue du Saint-Esprit ou sur la place, une de ces apparitions stupéfiantes, des recherches bien conduites n'eussent pas fini par réduire le personnage fabuleux aux proportions d'une « personne qu'on connaissait », soit personnellement, soit abstraitement, dans son état civil, en tant qu'ayant tel degré de parenté avec des gens de Combray. C'était le fils de Mme Sauton qui rentrait du service, la nièce de l'abbé Perdreau qui sortait du couvent, le frère du curé, percepteur à Châteaudun, qui venait de prendre sa retraite ou qui était venu passer les fêtes. On avait eu en les apercevant l'émotion de croire qu'il y avait à Combray des gens qu'on ne connaissait point, simplement parce qu'on ne les avait pas reconnus ou identifiés tout de suite. Et pourtant, longtemps à l'avance, Mme Sauton et le curé avaient prévenu qu'ils attendaient leurs « voyageurs ». Quand le soir je montais, en rentrant, raconter notre promenade à ma tante, si j'avais l'imprudence de lui dire que nous avions rencontré près du Pont-Vieux un homme que mon grand-père ne connaissait pas : « Un homme que grand-père ne connaissait point, s'écriait-elle. Ah! je te crois bien! » Néanmoins un peu émue de cette nouvelle, elle voulait en avoir le cœur net, mon grand-père était mandé. « Qui donc est-ce que vous avez rencontré près du Pont-Vieux, mon oncle? un homme que vous ne connaissiez point? — Mais si, répondait mon grand-père, c'était Prosper, le frère du jardinier de Mme Bouillebœuf. — Ah! bien », disait ma tante, tranquillisée et un peu rouge; haussant les épaules avec un sourire ironique, elle ajoutait : « Aussi il me disait que vous aviez rencontré un homme que vous ne connaissiez point! » Et on me recommandait d'être plus circonspect une autre fois et de ne plus agiter ainsi ma tante par des paroles irréfléchies. On connaissait tellement bien tout le monde, à Combray, bêtes et gens, que si ma tante avait vu par hasard passer un chien « qu'elle ne connaissait point », elle ne cessait d'y penser et de consacrer à ce fait incompréhensible ses talents d'induction et ses heures de liberté.

— Ce sera le chien de Mme Sazerat, disait Françoise, sans grande conviction, mais dans un but d'apaisement et pour que ma tante ne se « fende pas la tête ».

— Comme si je ne connaissais pas le chien de Mme Sazerat! répondait ma tante dont l'esprit critique n'admettait pas si facilement un fait.

— Ah! ce sera le nouveau chien que M. Galopin a rapporté de Lisieux.

— Ah! à moins de ça.

— Il paraît que c'est une bête bien affable, ajoutait Françoise qui tenait le renseignement de Théodore, spirituelle comme une personne, toujours de bonne humeur, toujours aimable, toujours quelque chose de gracieux. C'est rare qu'une bête qui n'a que cet âge-là soit déjà si galante. Madame Octave, il va falloir que je vous quitte, je n'ai pas le temps de m'amuser, voilà bientôt dix heures, mon fourneau n'est seulement pas éclairé, et j'ai encore à plumer mes asperges.

— Comment, Françoise, encore des asperges! mais c'est une vraie maladie d'asperges que vous avez cette année, vous allez en fatiguer nos Parisiens!

— Mais non, madame Octave, ils aiment bien ça. Ils

rentreront de l'église avec de l'appétit et vous verrez qu'ils
ne les mangeront pas avec le dos de la cuiller.

— Mais à l'église, ils doivent y être déjà; vous ferez
bien de ne pas perdre de temps. Allez surveiller votre
déjeuner.

Pendant que ma tante devisait ainsi avec Françoise, j'ac-
compagnais mes parents à la messe. Que je l'aimais, que je
la revois bien, notre Église! Son vieux porche par lequel
nous entrions, noir, grêlé comme une écumoire, était dévié
et profondément creusé aux angles (de même que le bénitier
où il nous conduisait) comme si le doux effleurement des
mantes des paysannes entrant à l'église et de leurs doigts
timides prenant de l'eau bénite, pouvait, répété pendant
des siècles, acquérir une force destructive, infléchir la pierre
et l'entailler de sillons comme en trace la roue des carrioles
dans la borne contre laquelle elle bute tous les jours. Ses
pierres tombales, sous lesquelles la noble poussière des
abbés de Combray, enterrés là, faisait au chœur comme un
pavage spirituel, n'étaient plus elles-mêmes de la matière
inerte et dure, car le temps les avait rendues douces et fait
couler comme du miel hors des limites de leur propre équar-
rissure qu'ici elles avaient dépassées d'un flot blond, entraî-
nant à la dérive une majuscule gothique en fleurs, noyant
les violettes blanches du marbre; et en deçà desquelles,
ailleurs, elles s'étaient résorbées, contractant encore l'ellip-
tique inscription latine, introduisant un caprice de plus dans
la disposition de ces caractères abrégés, rapprochant deux
lettres d'un mot dont les autres avaient été démesurément
distendues. Ses vitraux ne chatoyaient jamais tant que les
jours où le soleil se montrait peu, de sorte que, fît-il gris
dehors, on était sûr qu'il ferait beau dans l'église; l'un était
rempli dans toute sa grandeur par un seul personnage pareil
à un Roi de jeu de cartes, qui vivait là-haut, sous un dais
architectural, entre ciel et terre; (et dans le reflet oblique
et bleu duquel, parfois les jours de semaine, à midi, quand
il n'y a pas d'office — à l'un de ces rares moments où l'église
aérée, vacante, plus humaine, luxueuse, avec du soleil sur
son riche mobilier, avait l'air presque habitable comme le
hall de pierre sculptée et de verre peint, d'un hôtel de style
moyen âge — on voyait s'agenouiller un instant Mme Sazerat, posant sur le prie-Dieu voisin un paquet tout ficelé
de petits fours qu'elle venait de prendre chez le pâtissier

d'en face et qu'elle allait rapporter pour le déjeuner); dans
un autre une montagne de neige rose, au pied de laquelle
se livrait un combat, semblait avoir givré à même la verrière
qu'elle boursouflait de son trouble grésil comme une vitre
à laquelle il serait resté des flocons éclairés par quelque
aurore (par la même sans doute qui empourprait le retable
de l'autel de tons si frais qu'ils semblaient plutôt posés là
momentanément par une lueur du dehors prête à s'évanouir
que par des couleurs attachées à jamais à la pierre); et tous
étaient si anciens qu'on voyait çà et là leur vieillesse argentée
étinceler de la poussière des siècles et montrer brillante et
usée jusqu'à la corde la trame de leur douce tapisserie de
verre. Il y en avait un qui était un haut compartiment divisé
en une centaine de petits vitraux rectangulaires où dominait
le bleu, comme un grand jeu de cartes pareil à ceux qui
devaient distraire le roi Charles VI; mais soit qu'un rayon
eût brillé, soit que mon regard en bougeant eût promené
à travers la verrière tour à tour éteinte et rallumée un
mouvant et précieux incendie, l'instant d'après elle avait pris
l'éclat changeant d'une traîne de paon, puis elle tremblait
et ondulait en une pluie flamboyante et fantastique qui
dégouttait du haut de la voûte sombre et rocheuse, le long
des parois humides, comme si c'était dans la nef de quelque
grotte irisée de sinueux stalactites que je suivais mes
parents, qui portaient leur paroissien; un instant après les
petits vitraux en losange avaient pris la transparence profonde, l'infrangible dureté de saphirs qui eussent été juxta-
posés sur quelque immense pectoral, mais derrière lesquels
on sentait, plus aimé que toutes ces richesses, un sourire
momentané de soleil; il était aussi reconnaissable dans le
flot bleu et doux dont il baignait les pierreries que sur le
pavé de la place ou la paille du marché; et, même à nos
premiers dimanches quand nous étions arrivés avant
Pâques, il me consolait que la terre fût encore nue et noire,
en faisant épanouir, comme en un printemps historique et
qui datait des successeurs de saint Louis, ce tapis éblouissant
et doré de myosotis en verre.

Deux tapisseries de haute lice représentaient le couronnement d'Esther (la tradition voulait qu'on eût donné à
Assuérus les traits d'un roi de France et à Esther ceux d'une
dame de Guermantes dont il était amoureux) auxquelles
leurs couleurs, en fondant, avaient ajouté une expression,

un relief, un éclairage : un peu de rose flottait aux lèvres
d'Esther au delà du dessin de leur contour; le jaune de sa
robe s'étalait si onctueusement, si grassement, qu'elle en
prenait une sorte de consistance et s'enlevait vivement sur
l'atmosphère refoulée; et la verdure des arbres restée vive
dans les parties basses du panneau de soie et de laine,
mais ayant « passé » dans le haut, faisait se détacher en plus
pâle, au-dessus des troncs foncés, les hautes branches jau-
nissantes, dorées et comme à demi effacées par la brusque
et oblique illumination d'un soleil invisible. Tout cela, et
plus encore les objets précieux venus à l'église de personnages qui étaient pour moi presque des personnages de
légende (la croix d'or travaillée, disait-on, par saint Éloi et
donnée par Dagobert, le tombeau des fils de Louis le Germanique[1], en porphyre et en cuivre émaillé), à cause de quoi
je m'avançais dans l'église, quand nous gagnions nos chaises,
comme dans une vallée visitée des fées, où le paysan s'émerveille de voir dans un rocher, dans un arbre, dans une mare,
la trace palpable de leur passage surnaturel; tout cela faisait
d'elle pour moi quelque chose d'entièrement différent du
reste de la ville : un édifice occupant, si l'on peut dire, un
espace à quatre dimensions — la quatrième étant celle du
Temps —, déployant à travers les siècles son vaisseau qui,
de travée en travée, de chapelle en chapelle, semblait vaincre
et franchir, non pas seulement quelques mètres, mais des
époques successives d'où il sortait victorieux; dérobant le
rude et farouche XIᵉ siècle dans l'épaisseur de ses murs, d'où
il n'apparaissait avec ses lourds cintres bouchés et aveuglés
de grossiers moellons que par la profonde entaille que creusait près du porche l'escalier du clocher, et, même là, dissimulé par les gracieuses arcades gothiques qui se pressaient
coquettement devant lui, comme de plus grandes sœurs,
pour le cacher aux étrangers, se placent en souriant devant
un jeune frère rustre, grognon et mal vêtu; élevant dans le
ciel au-dessus de la Place, sa tour qui avait contemplé saint
Louis et semblait le voir encore; et s'enfonçant avec sa
crypte dans une nuit mérovingienne où, nous guidant à
tâtons sous la voûte obscure et puissamment nervurée
comme la membrane d'une immense chauve-souris de

---

1. *Saint Éloi*, conseiller de Dagobert, qui vécut de 588 à 660, fut, comme
on sait, orfèvre. *Louis le Germanique* (805-876), petit-fils de Charlemagne.
L'église d'Illiers ne contient aucun de ces trésors.

pierre, Théodore et sa sœur nous éclairaient d'une bougie le tombeau de la petite fille de Sigebert[1], sur lequel une profonde valve — comme la trace d'un fossile — avait été creusée, disait-on, « par une lampe de cristal qui, le soir du meurtre de la princesse franque, s'était détachée d'elle-même des chaînes d'or où elle était suspendue à la place de l'actuelle abside, et, sans que le cristal se brisât, sans que la flamme s'éteignît, s'était enfoncée dans la pierre et l'avait fait mollement céder sous elle (**5**) ».

L'abside de l'église de Combray, peut-on vraiment en parler ? Elle était si grossière, si dénuée de beauté artistique et même d'élan religieux. Du dehors, comme le croisement des rues sur lequel elle donnait était en contre-bas, sa grossière muraille s'exhaussait d'un soubassement en moellons nullement polis, hérissés de cailloux, et qui n'avait rien de particulièrement ecclésiastique, les verrières semblaient percées à une hauteur excessive, et le tout avait plus l'air d'un mur de prison que d'église. Et certes, plus tard, quand je me rappelais toutes les glorieuses absides que j'ai vues, il ne me serait jamais venu à la pensée de rapprocher d'elles l'abside de Combray. Seulement, un jour, au détour d'une petite rue provinciale, j'aperçus, en face du croisement de trois ruelles, une muraille fruste et surélevée, avec des verrières percées en haut et offrant le même aspect asymétrique que l'abside de Combray. Alors je ne me suis pas demandé comme à Chartres ou à Reims avec quelle puissance y était exprimé le sentiment religieux, mais je me suis involontairement écrié : « L'Église ! »

L'église ! Familière ; mitoyenne, rue Saint-Hilaire, où était sa porte nord, de ses deux voisines, la pharmacie de M. Rapin et la maison de Mme Loiseau, qu'elle touchait sans aucune séparation ; simple citoyenne de Combray qui aurait pu avoir son numéro dans la rue si les rues de Combray avaient eu des numéros, et où il semble que le facteur aurait dû s'arrêter le matin quand il faisait sa distribution, avant d'entrer chez Mme Loiseau et en sortant de chez M. Rapin ; il y avait pourtant entre elle et tout ce qui n'était pas elle une démarcation que mon esprit n'a jamais pu arriver à franchir. Mme Loiseau avait beau avoir à sa fenêtre des

---

1. Des trois rois d'Austrasie qui portèrent ce nom, seuls le premier et le troisième purent avoir une petite fille, car le second mourut à douze ans. Il s'agit probablement de Sigebert III, le fils de Dagobert.

fuchsias, qui prenaient la mauvaise habitude de laisser leurs
branches courir toujours partout tête baissée, et dont les
fleurs n'avaient rien de plus pressé, quand elles étaient assez
grandes, que d'aller rafraîchir leurs joues violettes et conges-
tionnées contre la sombre façade de l'église, les fuchsias ne
devenaient pas sacrés pour cela pour moi; entre les fleurs et
la pierre noircie sur laquelle elles s'appuyaient, si mes yeux
ne percevaient pas d'intervalle, mon esprit réservait un
abîme.

On reconnaissait le clocher de Saint-Hilaire de bien loin,
inscrivant sa figure inoubliable à l'horizon où Combray
n'apparaissait pas encore; quand du train qui, la semaine
de Pâques, nous amenait de Paris, mon père l'apercevait qui
filait tour à tour sur tous les sillons du ciel, faisant courir en
tous sens son petit coq de fer, il nous disait : « Allons, prenez
les couvertures, on est arrivé. » Et dans une des plus grandes
promenades que nous faisions de Combray, il y avait un
endroit où la route resserrée débouchait tout à coup sur un
immense plateau fermé à l'horizon par des forêts déchique-
tées que dépassait seule la fine pointe du clocher de Saint-
Hilaire, mais si mince, si rose, qu'elle semblait seulement
rayée sur le ciel par un ongle qui aurait voulu donner à ce
paysage, à ce tableau rien que de nature, cette petite marque
d'art, cette unique indication humaine. Quand on se rapprochait et qu'on pouvait apercevoir le reste de la tour carrée
et à demi détruite qui, moins haute, subsistait à côté de lui,
on était frappé surtout du ton rougeâtre et sombre des
pierres; et, par un matin brumeux d'automne, on aurait
dit, s'élevant au-dessus du violet orageux des vignobles,
une ruine de pourpre presque de la couleur de la vigne
vierge.

Souvent sur la place, quand nous rentrions, ma grand'-
mère me faisait arrêter pour le regarder. Des fenêtres de sa
tour, placées deux par deux les unes au-dessus des autres,
avec cette juste et originale proportion dans les distances
qui ne donne pas de la beauté et de la dignité qu'aux visages
humains, il lâchait, laissait tomber à intervalles réguliers des
volées de corbeaux qui, pendant un moment, tournoyaient
en criant, comme si les vieilles pierres qui les laissaient
s'ébattre sans paraître les voir, devenues tout d'un coup
inhabitables et dégageant un principe d'agitation infinie,
les avaient frappés et repoussés. Puis, après avoir rayé en tous

sens le velours violet de l'air du soir, brusquement calmés ils revenaient s'absorber dans la tour, de néfaste redevenue propice, quelques-uns posés çà et là ne semblant pas bouger, mais happant peut-être quelque insecte, sur la pointe d'un clocheton, comme une mouette arrêtée avec l'immobilité d'un pêcheur à la crête d'une vague. Sans trop savoir pourquoi, ma grand'mère trouvait au clocher de Saint-Hilaire cette absence de vulgarité, de prétention, de mesquinerie, qui lui faisait aimer et croire riches d'une influence bienfaisante la nature quand la main de l'homme ne l'avait pas, comme faisait le jardinier de ma grand'tante, rapetissée, et les œuvres de génie. Et, sans doute, toute partie de l'église qu'on apercevait la distinguait de tout autre édifice par une sorte de pensée qui lui était infuse, mais c'était dans son clocher qu'elle semblait prendre conscience d'elle-même, affirmer une existence individuelle et responsable. C'était lui qui parlait pour elle. Je crois surtout que, confusément, ma grand'mère trouvait au clocher de Combray ce qui pour elle avait le plus de prix au monde, l'air naturel et l'air distingué. Ignorante en architecture, elle disait : « Mes enfants, moquez-vous de moi si vous voulez, il n'est peut-être pas beau dans les règles, mais sa vieille figure bizarre me plaît. Je suis sûre que s'il jouait du piano, il ne jouerait pas *sec*. » Et en le regardant, en suivant des yeux la douce tension, l'inclinaison fervente de ses pentes de pierre qui se rapprochaient en s'élevant comme des mains jointes qui prient, elle s'unissait si bien à l'effusion de la flèche, que son regard semblait s'élancer avec elle; et en même temps elle souriait amicalement aux vieilles pierres usées dont le couchant n'éclairait plus que le faîte et qui, à partir du moment où elles entraient dans cette zone ensoleillée, adoucies par la lumière, paraissaient tout d'un coup montées bien plus haut, lointaines, comme un chant repris « en voix de tête » une octave au-dessus.

C'était le clocher de Saint-Hilaire qui donnait à toutes les occupations, à toutes les heures, à tous les points de vue de la ville, leur figure, leur couronnement, leur consécration. De ma chambre, je ne pouvais apercevoir que sa base qui avait été recouverte d'ardoises; mais quand, le dimanche, je les voyais, par une chaude matinée d'été, flamboyer comme un soleil noir, je me disais : « Mon Dieu! neuf heures! il faut se préparer pour aller à la grand'messe si je veux avoir

le temps d'aller embrasser tante Léonie avant », et je savais
exactement la couleur qu'avait le soleil sur la place, la chaleur et la poussière du marché, l'ombre que faisait le store
du magasin où maman entrerait peut-être avant la messe,
dans une odeur de toile écrue, faire emplette de quelque
mouchoir que lui ferait montrer, en cambrant la taille, le
patron qui, tout en se préparant à fermer, venait d'aller dans
l'arrière-boutique passer sa veste du dimanche et se savonner
les mains qu'il avait l'habitude, toutes les cinq minutes,
même dans les circonstances les plus mélancoliques, de
frotter l'une contre l'autre d'un air d'entreprise, de partie
fine et de réussite.

Quand après la messe, on entrait dire à Théodore d'ap-
porter une brioche plus grosse que d'habitude parce que nos
cousins avaient profité du beau temps pour venir de Thiberzy[1] déjeuner avec nous, on avait devant soi le clocher qui,
doré et cuit lui-même comme une plus grande brioche bénie,
avec des écailles et des égouttements gommeux de soleil,
piquait sa pointe aiguë dans le ciel bleu. Et le soir, quand je
rentrais de promenade et pensais au moment où il faudrait
tout à l'heure dire bonsoir à ma mère et ne plus la voir, il
était au contraire si doux, dans la journée finissante, qu'il
avait l'air d'être posé et enfoncé comme un coussin de velours
brun sur le ciel pâli qui avait cédé sous sa pression, s'était
creusé légèrement pour lui faire sa place et refluait sur ses
bords ; et les cris des oiseaux qui tournaient autour de lui
semblaient accroître son silence, élancer encore sa flèche
et lui donner quelque chose d'ineffable.

Même dans les courses qu'on avait à faire derrière l'église,
là où on ne la voyait pas, tout semblait ordonné par rapport
au clocher surgi ici ou là entre les maisons, peut-être plus
émouvant encore quand il apparaissait ainsi sans l'église.
Et certes, il y en a bien d'autres qui sont plus beaux vus
de cette façon, et j'ai dans mon souvenir des vignettes de
clochers dépassant les toits, qui ont un autre caractère d'art
que celles que composaient les tristes rues de Combray.
Je n'oublierai jamais dans une curieuse ville de Normandie
voisine de Balbec[2], deux charmants hôtels du XVIIIe siècle,
qui me sont à beaucoup d'égards chers et vénérables et entre

---

1. *Thiberzy* est un village imaginaire ; 2. Cette station balnéaire, qui joue
un grand rôle dans la suite du roman, ne peut être identifiée. L'auteur a
multiplié à son propos les indications à dessein contradictoires.

lesquels, quand on la regarde du beau jardin qui descend des perrons vers la rivière, la flèche gothique d'une église qu'ils cachent s'élance, ayant l'air de terminer, de surmonter leurs façades, mais d'une manière si différente, si précieuse, si annelée, si rose, si vernie, qu'on voit bien qu'elle n'en fait pas plus partie que de deux beaux galets unis, entre lesquels elle est prise sur la plage, la flèche purpurine et crénelée de quelque coquillage fuselé en tourelle et glacé d'émail. Même à Paris, dans un des quartiers les plus laids de la ville, je sais une fenêtre où on voit après un premier, un second et même un troisième plan faits des toits amoncelés de plusieurs rues, une cloche violette, parfois rougeâtre, parfois aussi, dans les plus nobles « épreuves » qu'en tire l'atmosphère, d'un noir décanté de cendres, laquelle n'est autre que le dôme de Saint-Augustin et qui donne à cette vue de Paris le caractère de certaines vues de Rome par Piranesi[1]. Mais comme dans aucune de ces petites gravures, avec quelque goût que ma mémoire ait pu les exécuter, elle ne put mettre ce que j'avais perdu depuis longtemps, le senti- ment qui nous fait non pas considérer une chose comme un spectacle, mais y croire comme en un être sans équivalent, aucune d'elles ne tient sous sa dépendance toute une partie profonde de ma vie, comme fait le souvenir de ces aspects du clocher de Combray dans les rues qui sont derrière l'église. Qu'on le vît à cinq heures, quand on allait chercher les lettres à la poste, à quelques maisons de soi, à gauche, surélevant brusquement d'une cime isolée la ligne de faîte des toits ; que, si au contraire on voulait entrer demander des nouvelles de Mme Sazerat, on suivît des yeux cette ligne redevenue basse après la descente de son autre versant en sachant qu'il faudrait tourner à la deuxième rue après le clocher ; soit qu'encore, poussant plus loin, si on allait à la gare, on le vît obliquement, montrant de profil des arêtes et des surfaces nouvelles comme un solide surpris à un moment inconnu de sa révolution ; ou que, des bords de la Vivonne, l'abside, musculeusement ramassée et remontée par la perspective, semblât jaillir de l'effort que le clocher faisait

---

1. *Piranesi* (1720-1778), surtout célèbre pour une suite de vues gravées de Rome. Le dôme de l'église Saint-Augustin imite de très loin celui de Saint-Pierre de Rome. Les trois appartements que Proust a habités jusqu'à l'époque où il a écrit *Swann* (9, b^d Malesherbes — 45, rue de Courcelles — 102, b^d Hauss-mann) se trouvent à proximité de Saint-Augustin et ont pu recéler la fenêtre en question.

pour lancer sa flèche au cœur du ciel; c'était toujours à lui qu'il fallait revenir, toujours lui qui dominait tout, sommant les maisons d'un pinacle inattendu, levé devant moi comme le doigt de Dieu dont le corps eût été caché dans la foule des humains sans que je le confondisse pour cela avec elle. Et aujourd'hui encore si, dans une grande ville de province ou dans un quartier de Paris que je connais mal, un passant qui m'a « mis dans mon chemin » me montre au loin, comme un point de repère, tel beffroi d'hôpital, tel clocher de couvent levant la pointe de son bonnet ecclésiastique au coin d'une rue que je dois prendre, pour peu que ma mémoire puisse obscurément lui trouver quelque trait de ressemblance avec la figure chère et disparue, le passant, s'il se retourne pour s'assurer que je ne m'égare pas, peut, à son étonnement, m'apercevoir qui, oublieux de la promenade entreprise ou de la course obligée, reste là, devant le clocher, pendant des heures, immobile, essayant de me souvenir, sentant au fond de moi des terres reconquises sur l'oubli qui s'assèchent et se rebâtissent; et sans doute alors, et plus anxieusement que tout à l'heure quand je lui demandais de me renseigner, je cherche encore mon chemin, je tourne une rue... mais... c'est dans mon cœur...

En rentrant de la messe, nous rencontrions souvent M. Legrandin qui, retenu à Paris par sa profession d'ingénieur, ne pouvait, en dehors des grandes vacances, venir à sa propriété de Combray que du samedi soir au lundi matin. C'était un de ces hommes qui, en dehors d'une carrière scientifique où ils ont d'ailleurs brillamment réussi, possèdent une culture toute différente, littéraire, artistique, que leur spécialisation professionnelle n'utilise pas et dont profite leur conversation. Plus lettrés que bien des littérateurs (nous ne savions pas à cette époque que M. Legrandin eût une certaine réputation comme écrivain et nous fûmes très étonnés de voir qu'un musicien célèbre avait composé une mélodie sur des vers de lui), doués de plus de « facilité » que bien des peintres, ils s'imaginent que la vie qu'ils mènent n'est pas celle qui leur aurait convenu et apportent à leurs occupations positives soit une insouciance mêlée de fantaisie, soit une application soutenue et hautaine, méprisante, amère et consciencieuse. Grand, avec une belle tournure, un visage pensif et fin aux longues moustaches blondes, au regard bleu et désenchanté, d'une politesse raffinée, causeur comme nous n'en avions jamais entendu, il était, aux yeux de ma famille, qui le citait toujours en exemple, le type de l'homme d'élite, prenant la vie de la façon la plus noble et la plus délicate. Ma grand'mère lui reprochait seulement de parler un peu trop bien, un peu trop comme un livre, de ne pas avoir dans son langage le naturel qu'il y avait dans ses cravates lavallière toujours flottantes, dans son veston droit presque d'écolier. Elle s'étonnait aussi des tirades enflammées qu'il entamait souvent contre l'aristocratie, la vie mondaine, le snobisme, « certainement le péché auquel pense saint Paul[1] quand il parle du péché pour lequel il n'y a pas de rémission ».

L'ambition mondaine était un sentiment que ma grand'-mère était si incapable de ressentir et presque de comprendre, qu'il lui paraissait bien inutile de mettre tant d'ardeur à la flétrir. De plus, elle ne trouvait pas de très bon goût que M. Legrandin, dont la sœur était mariée près de Balbec avec un gentilhomme bas-normand, se livrât à des attaques aussi violentes contre les nobles, allant jusqu'à reprocher à la Révolution de ne les avoir pas tous guillotinés.

— Salut, amis! nous disait-il en venant à notre rencontre. Vous êtes heureux d'habiter beaucoup ici; demain il faudra que je rentre à Paris, dans ma niche. Oh! ajoutait-il, avec ce sourire doucement ironique et déçu, un peu distrait, qui lui était particulier, certes il y a dans ma maison toutes les choses inutiles. Il n'y manque que le nécessaire, un grand morceau de ciel comme ici. Tâchez de garder toujours un morceau de ciel au-dessus de votre vie, petit garçon, ajoutait-il en se tournant vers moi. Vous avez une jolie âme, d'une qualité rare, une nature d'artiste, ne la laissez pas manquer de ce qu'il lui faut.

Quand, à notre retour, ma tante nous faisait demander si Mme Goupil était arrivée en retard à la messe, nous étions incapables de la renseigner. En revanche nous ajoutions à son trouble en lui disant qu'un peintre travaillait dans l'église à copier le vitrail de Gilbert le Mauvais. Françoise, envoyée aussitôt chez l'épicier, était revenue bredouille par la faute de l'absence de Théodore à qui sa double profession de chantre ayant une part de l'entretien de l'église, et de garçon épicier donnait, avec des relations dans tous les mondes, un savoir universel.

---

1. Ce péché (cf. Épître aux Hébreux, VI, 4 et X, 26) est l'apostasie.

— Ah! soupirait ma tante, je voudrais que ce soit déjà l'heure d'Eulalie. Il n'y a vraiment qu'elle qui pourra me dire cela (**6**).

Eulalie était une fille boiteuse, active et sourde qui s'était « retirée » après la mort de Mme de la Bretonnerie, où elle avait été en place depuis son enfance, et qui avait pris à côté de l'église une chambre d'où elle descendait tout le temps soit aux offices, soit, en dehors des offices, dire une petite prière ou donner un coup de main à Théodore; le reste du temps elle allait voir des personnes malades comme ma tante Léonie à qui elle racontait ce qui s'était passé à la messe ou aux vêpres. Elle ne dédaignait pas d'ajouter quelque casuel à la petite rente que lui servait la famille de ses anciens maîtres en allant de temps en temps visiter le linge du curé ou de quelque autre personnalité marquante du monde clérical de Combray. Elle portait au-dessus d'une mante de drap noir un petit béguin blanc, presque de religieuse, et une maladie de peau donnait à une partie de ses joues et à son nez recourbé les tons rose vif de la balsamine. Ses visites étaient la grande distraction de ma tante Léonie qui ne recevait plus guère personne d'autre, en dehors de M. le Curé. Ma tante avait peu à peu évincé tous les autres visiteurs parce qu'ils avaient le tort à ses yeux de rentrer tous dans l'une ou l'autre des deux catégories de gens qu'elle détestait. Les uns, les pires et dont elle s'était débarrassée les premiers, étaient ceux qui lui conseillaient de ne pas « s'écouter » et professaient, fût-ce négativement et en ne la manifestant que par certains silences de désapprobation ou par certains sourires de doute, la doctrine subversive qu'une petite promenade au soleil et un bon bifteck saignant (quand elle gardait quatorze heures sur l'estomac deux méchantes gorgées d'eau de Vichy!) lui feraient plus de bien que son lit et ses médecines[1]. L'autre catégorie se composait des personnes qui avaient l'air de croire qu'elle était plus gravement malade qu'elle ne pensait, qu'elle était aussi gravement malade qu'elle le disait. Aussi, ceux qu'elle avait laissé monter après quelques hésitations et sur les officieuses instances de Françoise et qui, au cours de leur visite, avaient montré combien ils étaient indignes de la faveur qu'on leur

---

1. Allusion évidente au cas de l'auteur lui-même, que certains prenaient pour un malade imaginaire et que tout son entourage désapprouvait pour sa façon personnelle de se soigner.

faisait en risquant timidement un : « Ne croyez-vous pas
que si vous vous secouiez un peu par un beau temps », ou
qui, au contraire, quand elle leur avait dit : « Je suis bien
bas, bien bas, c'est la fin, mes pauvres amis », lui avaient
répondu : « Ah! quand on n'a pas la santé! Mais vous pouvez
durer encore comme ça », ceux-là, les uns comme les autres,
étaient sûrs de ne plus jamais être reçus. Et si Françoise
s'amusait de l'air épouvanté de ma tante quand de son lit
elle avait aperçu dans la rue du Saint-Esprit une de ces
personnes qui avait l'air de venir chez elle ou quand elle
avait entendu un coup de sonnette, elle riait encore bien
plus, et comme d'un bon tour, des ruses toujours victo-
rieuses de ma tante pour arriver à les faire congédier et de
leur mine déconfite en s'en retournant sans l'avoir vue, et,
au fond, admirait sa maîtresse qu'elle jugeait supérieure à
tous ces gens puisqu'elle ne voulait pas les recevoir. En
somme, ma tante exigeait à la fois qu'on l'approuvât dans
son régime, qu'on la plaignît pour ses souffrances et qu'on
la rassurât sur son avenir.

C'est à quoi Eulalie excellait. Ma tante pouvait lui
dire vingt fois en une minute : « C'est la fin, ma pauvre
Eulalie », vingt fois Eulalie répondait : « Connaissant votre
maladie comme vous la connaissez, madame Octave, vous
irez à cent ans, comme me disait hier encore Mme Sazerin. »
(Une des plus fermes croyances d'Eulalie, et que le nombre
imposant des démentis apportés par l'expérience n'avait
pas suffi à entamer, était que Mme Sazerat s'appelait
Mme Sazerin.)

— Je ne demande pas à aller à cent ans, répondait ma
tante, qui préférait ne pas voir assigner à ses jours un terme
précis.

Et comme Eulalie savait avec cela comme personne distraire ma tante sans la fatiguer, ses visites, qui avaient lieu
réguliè·ement tous les dimanches sauf empêchement ino-
piné, etaient pour ma tante un plaisir dont la perspective
l'entretenait ces jours-là dans un état agréable d'abord, mais
bien vite douloureux comme une faim excessive, pour peu
qu'Eulalie fût en retard. Trop prolongée, cette volupté
d'attendre Eulalie tournait en supplice, ma tante ne cessait
de regarder l'heure, bâillait, se sentait des faiblesses. Le coup
de sonnette d'Eulalie, s'il arrivait tout à la fin de la journée,
quand elle ne l'espérait plus, la faisait presque se trouver

mal. En réalité, le dimanche, elle ne pensait qu'à cette visite et, sitôt le déjeuner fini, Françoise avait hâte que nous quittions la salle à manger pour qu'elle pût monter « occuper » ma tante. Mais (surtout à partir du moment où les beaux jours s'installaient à Combray) il y avait bien longtemps que l'heure altière de midi, descendue de la tour de Saint-Hilaire qu'elle armoriait des douze fleurons momentanés de sa couronne sonore, avait retenti autour de notre table, auprès du pain bénit venu lui aussi familièrement en sortant de l'église, quand nous étions encore assis devant les assiettes des Mille et une Nuits, appesantis par la chaleur et surtout par le repas. Car, au fond permanent d'œufs, de côtelettes, de pommes de terre, de confitures, de biscuits, qu'elle ne nous annonçait même plus, Françoise ajoutait — selon les travaux des champs et des vergers, le fruit de la marée, les hasards du commerce, les politesses des voisins et son propre génie, et si bien que notre menu, comme ces quatre-feuilles[1] qu'on sculptait au XIIIᵉ siècle au portail des cathédrales, reflétait un peu le rythme des saisons et des épisodes de la vie — : une barbue parce que la marchande lui en avait garanti la fraîcheur, une dinde parce qu'elle en avait vu une belle au marché de Roussainville-le-Pin[2], des cardons à la moelle parce qu'elle ne nous en avait pas encore fait de cette manière-là, un gigot rôti parce que le grand air creuse et qu'il avait bien le temps de descendre d'ici sept heures, des épinards pour changer, des abricots parce que c'était encore une rareté, des groseilles parce que dans quinze jours il n'y en aurait plus, des framboises que M. Swann avait apportées exprès, des cerises, les premières qui vinssent du cerisier du jardin après deux ans qu'il n'en donnait plus, du fromage à la crème que j'aimais bien autrefois, un gâteau aux amandes parce qu'elle l'avait commandé la veille, une brioche parce que c'était notre tour de l'offrir. Quand tout cela était fini, composée expressément pour nous, mais dédiée plus spécialement à mon père qui était amateur, une crème au chocolat, inspiration, attention personnelle de Françoise, nous était offerte, fugitive et légère comme une œuvre de circonstance où elle avait mis tout son talent.

1. *Quatre-feuilles* : ornement formé de quatre lobes, que l'on décorait traditionnellement de motifs symbolisant les quatre saisons ; 2. Nous n'avons trouvé sur aucune carte ce « hameau à 1 kilomètre au sud d'Illiers » dont M. Ferré fait état.

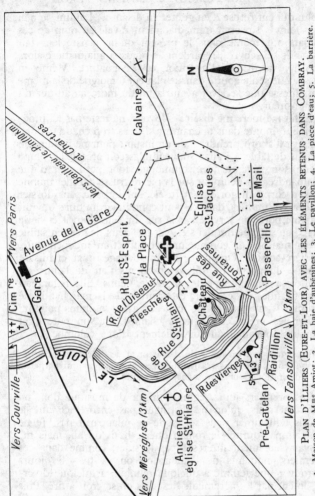

PLAN D'ILLIERS (EURE-ET-LOIR) AVEC LES ÉLÉMENTS RETENUS DANS COMBRAY.
1. Maison de Mme Amiot; 2. La haie d'aubépines; 3. Le pavillon; 4. La pièce d'eau; 5. La barrière.
(D'après la carte établie par A. Ferré, *Géographie de Marcel Proust*, p. 91.)

Celui qui eût refusé d'en goûter en disant : « J'ai fini, je n'ai plus faim », se serait immédiatement ravalé au rang de ces goujats qui, même dans le présent qu'un artiste leur fait d'une de ses œuvres, regardent au poids et à la matière alors que n'y valent que l'intention et la signature. Même en laisser une seule goutte dans le plat eût témoigné de la même impolitesse que se lever avant la fin du morceau au nez du compositeur.

Enfin ma mère me disait : « Voyons, ne reste pas ici indéfiniment, monte dans ta chambre si tu as trop chaud dehors, mais va d'abord prendre l'air un instant pour ne pas lire en sortant de table. » J'allais souvent m'asseoir près de la pompe et de son auge, ornée, comme un font gothique, d'une salamandre, qui sculptait sur la pierre fruste le relief mobile de son corps allégorique et fuselé, sur le banc sans dossier ombragé d'un lilas, dans ce petit coin du jardin qui s'ouvrait par une porte de service sur la rue du Saint-Esprit et de la terre peu soignée duquel s'élevait par deux degrés, en saillie de la maison, et comme une construction indépendante, l'arrière-cuisine. On apercevait son dallage rouge et luisant comme du porphyre. Elle avait moins l'air de l'antre de Françoise que d'un petit temple de Vénus. Elle regorgeait des offrandes du crémier, du fruitier, de la marchande de légumes, venus parfois de hameaux assez lointains pour lui dédier les prémices de leurs champs. Et son faîte était toujours couronné du roucoulement d'une colombe (**7**).

[Présentation d'un oncle du narrateur et de différents membres de sa famille; premiers essais littéraires du narrateur, infructueux; son admiration pour le romancier Bergotte.]

Les premiers jours, comme un air de musique dont on raffolera, mais qu'on ne distingue pas encore, ce que je devais tant aimer dans son style ne m'apparut pas. Je ne pouvais pas quitter le roman que je lisais de lui, mais me croyais seulement intéressé par le sujet, comme dans ces premiers moments de l'amour où on va tous les jours retrouver une femme à quelque réunion, on se croit attiré par les agréments desquels on se croit attiré. Puis je remarquai les expressions rares, presque archaïques, qu'il aimait employer à certains moments où un flot caché d'harmonie, un prélude intérieur, soulevait son style; et c'était aussi à ces moments-là qu'il se mettait à parler du « vain

DU CÔTÉ DE CHEZ SWANN — 41

songe de la vie », de « l'inépuisable torrent des belles appa-
rences », du « tourment stérile et délicieux de comprendre
et d'aimer », des « émouvantes effigies qui anoblissent à
jamais la façade vénérable et charmante des cathédrales »,
qu'il exprimait toute une philosophie nouvelle pour moi par
de merveilleuses images dont on aurait dit que c'était elles
qui avaient éveillé ce chant de harpes qui s'élevait alors et
à l'accompagnement duquel elles donnaient quelque chose
de sublime. Un de ces passages de Bergotte, le troisième ou
le quatrième que j'eusse isolé du reste, me donna une joie
incomparable à celle que j'avais trouvée au premier, une
joie que je me sentis éprouver en une région plus profonde
de moi-même, plus unie, plus vaste, d'où les obstacles et les
séparations semblaient avoir été enlevés. C'est que, reconnaissant alors ce même goût pour les expressions rares, cette
même effusion musicale, cette même philosophie idéaliste[1]
qui avaient déjà été les autres fois, sans que je m'en rendisse
compte, la cause de mon plaisir, je n'eus plus l'impression
d'être en présence d'un morceau particulier d'un certain
livre de Bergotte, traçant à la surface de ma pensée une
figure purement linéaire, mais plutôt du « morceau idéal »
de Bergotte, commun à tous ses livres et auquel tous les
passages analogues qui venaient se confondre avec lui
auraient donné une sorte d'épaisseur, de volume, dont mon
esprit semblait agrandi.

Je n'étais pas tout à fait le seul admirateur de Bergotte;
il était aussi l'écrivain préféré d'une amie de ma mère qui
était très lettrée; enfin, pour lire son dernier livre paru, le
docteur du Boulbon[2] faisait attendre ses malades; et ce fut
de son cabinet de consultation, et d'un parc voisin de
Combray, que s'envolèrent quelques-unes des premières
graines de cette prédilection pour Bergotte, espèce si rare
alors, aujourd'hui universellement répandue, et dont on
trouve partout en Europe, en Amérique, jusque dans le
moindre village, la fleur idéale et commune. Ce que l'amie
de ma mère et, paraît-il, le docteur du Boulbon aimaient
surtout dans les livres de Bergotte c'était, comme moi, ce
même flux mélodique, ces expressions anciennes, quelques

---

1. Au sens métaphysique du terme. Il s'agit de la philosophie qui nie la
réalité objective du monde extérieur; 2. A plusieurs reprises dans le roman,
Proust oppose ce médecin lettré, mais peu capable, au docteur Cottard « imbé-
cile », mais « grand clinicien ».

autres très simples et connues, mais pour lesquelles la place
où il les mettait en lumière semblait révéler de sa part un
goût particulier ; enfin, dans les passages tristes, une certaine
brusquerie, un accent presque rauque. Et sans doute lui-
même devait sentir que là étaient ses plus grands charmes.
Car dans les livres qui suivirent, s'il avait rencontré quelque
grande vérité, ou le nom d'une célèbre cathédrale, il inter-
rompait son récit et dans une invocation, une apostrophe,
une longue prière, il donnait un libre cours à ces effluves
qui dans ses premiers ouvrages restaient intérieurs à sa
prose, décelés seulement alors par les ondulations de la
surface, plus douces peut-être encore, plus harmonieuses
quand elles étaient ainsi voilées et qu'on n'aurait pu indiquer
d'une manière précise où naissait, où expirait leur murmure.
Ces morceaux auxquels il se complaisait étaient nos morceaux préférés. Pour moi, je les savais par cœur. J'étais
déçu quand il reprenait le fil de son récit. Chaque fois qu'il
parlait de quelque chose dont la beauté m'était restée
jusque-là cachée, des forêts de pins, de la grêle, de Notre-
Dame de Paris, d'*Athalie* ou de *Phèdre*, il faisait dans une
image exploser cette beauté jusqu'à moi. Aussi sentant
combien il y avait de parties de l'univers que ma perception
infirme ne distinguerait pas s'il ne les rapprochait de moi,
j'aurais voulu posséder une opinion de lui, une métaphore
de lui, sur toutes choses, surtout sur celles que j'aurais l'occasion de voir moi-même, et entre celles-là, particulièrement
sur d'anciens monuments français et certains paysages mari-
times, parce que l'insistance avec laquelle il les citait dans
ses livres prouvait qu'il les tenait pour riches de signification et de beauté. Malheureusement sur presque toutes
choses j'ignorais son opinion. Je ne doutais pas qu'elle ne
fût entièrement différente des miennes, puisqu'elle descendait d'un monde inconnu vers lequel je cherchais à m'élever :
persuadé que mes pensées eussent paru pure ineptie à cet
esprit parfait, j'avais tellement fait table rase de toutes, que
quand par hasard il m'arriva d'en rencontrer, dans tel
de ses livres, une que j'avais déjà eue moi-même, mon
cœur se gonflait comme si un dieu dans sa bonté me
l'avait rendue, l'avait déclarée légitime et belle. Il m'arrivait
parfois qu'une page de lui disait les mêmes choses que
j'écrivais souvent la nuit à ma grand'mère et à ma mère
quand je ne pouvais pas dormir, si bien que cette page

de Bergotte avait l'air d'un recueil d'épigraphes pour être
placées en tête de mes lettres. Même plus tard, quand je
commençai de composer un livre, certaines phrases dont
la qualité ne suffit pas pour me décider à le continuer,
j'en retrouvai l'équivalent dans Bergotte. Mais ce n'était
qu'alors, quand je les lisais dans son œuvre, que je pouvais
en jouir; quand c'était moi qui les composais, préoccupé
qu'elles reflétassent exactement ce que j'apercevais de
ma pensée, craignant de ne pas « faire ressemblant »,
j'avais bien le temps de me demander si ce que j'écrivais
était agréable! Mais en réalité il n'y avait que ce genre de
phrases, ce genre d'idées que j'aimais vraiment. Mes efforts
inquiets et mécontents étaient eux-mêmes une marque
d'amour, d'amour sans plaisir mais profond. Aussi quand
tout d'un coup je trouvais de telles phrases dans l'œuvre
d'un autre, c'est-à-dire sans plus avoir de scrupules, de
sévérité, sans avoir à me tourmenter, je me laissais enfin
aller avec délices au goût que j'avais pour elles, comme un
cuisinier qui pour une fois où il n'a pas à faire la cuisine
trouve enfin le temps d'être gourmand. Un jour, ayant rencontré dans un livre de Bergotte, à propos d'une vieille
servante, une plaisanterie que le magnifique et solennel
langage de l'écrivain rendait encore plus ironique, mais qui
était la même que j'avais si souvent faite à ma grand'mère
en parlant de Françoise, une autre fois où je vis qu'il ne
jugeait pas indigne de figurer dans un de ces miroirs de
la vérité qu'étaient ses ouvrages une remarque analogue
à celle que j'avais eu l'occasion de faire sur notre ami
M. Legrandin (remarques sur Françoise et M. Legrandin
qui étaient certes de celles que j'eusse le plus délibérément
sacrifiées à Bergotte, persuadé qu'il les trouverait sans intérêt), il me sembla soudain que mon humble vie et les
royaumes du vrai n'étaient pas aussi séparés que j'avais
cru, qu'ils coïncidaient même sur certains points, et de
confiance et de joie je pleurai sur les pages de l'écrivain
comme dans les bras d'un père retrouvé (**8**).

D'après ses livres j'imaginais Bergotte comme un vieillard
faible et déçu qui avait perdu des enfants et ne s'était
jamais consolé. Aussi je lisais, je chantais intérieurement sa
prose, plus *dolce*, plus *lento* peut-être qu'elle n'était écrite,
et la phrase la plus simple s'adressait à moi avec une
intonation attendrie. Plus que tout j'aimais sa philosophie,

je m'étais donné à elle pour toujours. Elle me rendait impatient d'arriver à l'âge où j'entrerais au collège, dans la classe appelée Philosophie. Mais je ne voulais pas qu'on y fît autre chose que vivre uniquement par la pensée de Bergotte, et si l'on m'avait dit que les métaphysiciens auxquels je m'attacherais alors ne lui ressembleraient en rien, j'aurais ressenti le désespoir d'un amoureux qui veut aimer pour la vie et à qui on parle des autres maîtresses qu'il aura plus tard.

Un dimanche, pendant ma lecture au jardin, je fus dérangé par Swann qui venait voir mes parents.

— Qu'est-ce que vous lisez, on peut regarder ? Tiens, du Bergotte ? Qui donc vous a indiqué ses ouvrages ?

Je lui dis que c'était Bloch.

— Ah ! oui, ce garçon que j'ai vu une fois ici, qui ressemble tellement au portrait de Mahomet II par Bellini[1] ! Oh ! c'est frappant, il a les mêmes sourcils circonflexes, le même nez recourbé, les mêmes pommettes saillantes. Quand il aura une barbiche ce sera la même personne. En tous cas il a du goût, car Bergotte est un charmant esprit. Et voyant combien j'avais l'air d'admirer Bergotte, Swann qui ne parlait jamais des gens qu'il connaissait fit, par bonté, une exception et me dit :

— Je le connais beaucoup, si cela pouvait vous faire plaisir qu'il écrive un mot en tête de votre volume, je pourrais le lui demander.

Je n'osai pas accepter, mais posai à Swann des questions sur Bergotte. « Est-ce que vous pourriez me dire quel est l'acteur qu'il préfère ? »

— L'acteur, je ne sais pas. Mais je sais qu'il n'égale aucun artiste homme à la Berma[2] qu'il met au-dessus de tout. L'avez-vous entendue ?

— Non monsieur, mes parents ne me permettent pas d'aller au théâtre.

— C'est malheureux. Vous devriez leur demander. La Berma dans *Phèdre*, dans *le Cid*, ce n'est qu'une actrice si vous voulez, mais vous savez, je ne crois pas beaucoup

---

1. *Mahomet II* (1430-1481) : sultan qui s'empara de Constantinople en 1453. *Gentile Bellini* (1429-1507) fut appelé par lui à Constantinople et fut comblé de faveurs. Ce portrait se trouve à Venise dans une collection particulière ; 2. *La Berma* : actrice imaginaire qui apparaît à plusieurs reprises dans le roman. On s'accorde pour retrouver en elle beaucoup du caractère de Sarah Bernhardt.

à la « *hiérarchie !* » des arts; (et je remarquai, comme cela m'avait souvent frappé dans ses conversations avec les sœurs de ma grand'mère, que quand il parlait de choses sérieuses, quand il employait une expression qui semblait impliquer une opinion sur un sujet important, il avait soin de l'isoler dans une intonation spéciale, machinale et ironique, comme s'il l'avait mise entre guillemets, semblant ne pas vouloir la prendre à son compte, et dire : « la *hiérarchie*, vous savez, comme disent les gens ridicules ». Mais alors, si c'était ridicule, pourquoi disait-il la hiérarchie ?) Un instant après il ajouta : « Cela vous donnera une vision aussi noble que n'importe quel chef-d'œuvre, je ne sais pas moi... que — et il se mit à rire — « les Reines de Chartres[1] » Jusque-là cette horreur d'exprimer sérieusement son opinion m'avait paru quelque chose qui devait être élégant et parisien et qui s'opposait au dogmatisme provincial des sœurs de ma grand'mère; et je soupçonnais aussi que c'était une des formes de l'esprit dans la coterie où vivait Swann et où, par réaction sur le lyrisme des générations antérieures, on réhabilitait à l'excès les petits faits précis, réputés vulgaires autrefois, et on proscrivait les « phrases ». Mais maintenant je trouvais quelque chose de choquant dans cette attitude de Swann en face des choses. Il avait l'air de ne pas oser avoir une opinion et de n'être tranquille que quand il pouvait donner méticuleusement des renseignements précis. Mais il ne se rendait donc pas compte que c'était professer l'opinion, postuler que l'exactitude de ces détails avait de l'importance. Je repensai alors à ce dîner où j'étais si triste parce que maman ne devait pas monter dans ma chambre et où il avait dit que les bals chez la princesse de Léon n'avaient aucune importance. Mais c'était pourtant à ce genre de plaisirs qu'il employait sa vie. Je trouvais tout cela contradictoire. Pour quelle autre vie réservait-il de dire enfin sérieusement ce qu'il pensait des choses, de formuler des jugements qu'il pût ne pas mettre entre guillemets, et de ne plus se livrer avec une politesse pointilleuse à des occupations dont il professait en même temps qu'elles sont ridicules ? Je remarquai aussi dans la façon dont Swann me parla de Bergotte quelque chose qui en revanche ne lui était pas particulier, mais au contraire

---

1. Statues du célèbre « Portail royal » de la cathédrale.

était dans ce temps-là commun à tous les admirateurs de l'écrivain, à l'amie de ma mère, au docteur du Boulbon. Comme Swann, ils disaient de Bergotte : « C'est un charmant esprit, si particulier, il a une façon à lui de dire les choses un peu cherchée, mais si agréable. On n'a pas besoin de voir la signature, on reconnaît tout de suite que c'est de lui. » Mais aucun n'aurait été jusqu'à dire : « C'est un grand écrivain, il a un grand talent. » Ils ne disaient même pas qu'il avait du talent. Ils ne le disaient pas parce qu'ils ne le savaient pas. Nous sommes très longs à reconnaître dans la physionomie particulière d'un nouvel écrivain le modèle qui porte le nom de « grand talent » dans notre musée des idées générales. Justement parce que cette physionomie est nouvelle, nous ne la trouvons pas tout à fait ressemblante à ce que nous appelons talent. Nous disons plutôt originalité, charme, délicatesse, force; et puis un jour nous nous rendons compte que c'est justement tout cela le talent.

— Est-ce qu'il y a des ouvrages de Bergotte où il ait parlé de la Berma? demandai-je à Swann.

— Je crois dans sa petite plaquette sur Racine, mais elle doit être épuisée. Il y a peut-être eu cependant une réimpression. Je m'informerai. Je peux d'ailleurs demander à Bergotte tout ce que vous voulez, il n'y a pas de semaine dans l'année où il ne dîne à la maison. C'est le grand ami de ma fille. Ils vont ensemble visiter les vieilles villes, les cathédrales, les châteaux.

[Les familiers de la tante Léonie : le curé de Combray, féru d'étymologie; Eulalie. Les voisins : le musicien Vinteuil, veuf, qui ne vit que pour sa fille; l'ingénieur Legrandin, qui cache son snobisme sous une apparence d'indépendance frondeuse.]

Nous rentrions toujours de bonne heure de nos promenades pour pouvoir faire une visite à ma tante Léonie avant le dîner. Au commencement de la saison, où le jour finit tôt, quand nous arrivions rue du Saint-Esprit, il y avait encore un reflet du couchant sur les vitres de la maison et un bandeau de pourpre au fond des bois du Calvaire[1], qui se reflétait plus loin dans l'étang, rougeur qui, accompagnée souvent d'un froid assez vif, s'associait, dans mon esprit, à

1. Imaginaire, semble-t-il.

la rougeur du feu au-dessus duquel rôtissait le poulet qui ferait succéder pour moi au plaisir poétique donné par la promenade, le plaisir de la gourmandise, de la chaleur et du repos. Dans l'été au contraire, quand nous rentrions, le soleil ne se couchait pas encore; et pendant la visite que nous faisions chez ma tante Léonie, sa lumière qui s'abaissait et touchait la fenêtre, était arrêtée entre les grands rideaux et les embrasses, divisée, ramifiée, filtrée, et, incrustant de petits morceaux d'or le bois de citronnier de la commode, illuminait obliquement la chambre avec la délicatesse qu'elle prend dans les sous-bois. Mais, certains jours fort rares, quand nous rentrions, il y avait bien longtemps que la commode avait perdu ses incrustations momentanées, il n'y avait plus, quand nous arrivions rue du Saint-Esprit, nul reflet de couchant étendu sur les vitres, et l'étang au pied du calvaire avait perdu sa rougeur, quelquefois il était déjà couleur d'opale, et un long rayon de lune, qui allait en s'élargissant et se fendillait de toutes les rides de l'eau, le traversait tout entier. Alors, en arrivant près de la maison, nous apercevions une forme sur le pas de la porte et maman me disait :

— Mon Dieu! voilà Françoise qui nous guette, ta tante est inquiète; aussi nous rentrons trop tard.

Et sans avoir pris le temps d'enlever nos affaires, nous montions vite chez ma tante Léonie pour la rassurer et lui montrer que, contrairement à ce qu'elle imaginait déjà, il ne nous était rien arrivé, mais que nous étions allés « du côté de Guermantes » et, dame, quand on faisait cette promenade-là, ma tante savait pourtant bien qu'on ne pouvait jamais être sûr de l'heure à laquelle on serait rentré.

— Là, Françoise, disait ma tante, quand je vous le disais, qu'ils seraient allés du côté de Guermantes! Mon Dieu! Ils doivent avoir une faim! et votre gigot qui doit être tout desséché après ce qu'il a attendu. Aussi est-ce une heure pour rentrer! comment, vous êtes allés du côté de Guermantes!

— Mais je croyais que vous le saviez, Léonie, disait maman. Je pensais que Françoise nous avait vu sortir par la petite porte du potager.

Car il y avait autour de Combray deux « côtés » pour les promenades, et si opposés qu'on ne sortait pas en effet de chez nous par la même porte, quand on voulait aller d'un

côté ou de l'autre : le côté de Méséglise-la-Vineuse[1], qu'on
appelait aussi le côté de chez Swann parce qu'on passait
devant la propriété de M. Swann pour aller par là, et le côté
de Guermantes. De Méséglise-la-Vineuse, à vrai dire, je
n'ai jamais connu que le « côté » et des gens étrangers qui
venaient le dimanche se promener à Combray, des gens que,
cette fois, ma tante elle-même et nous tous ne « connaissions
point » et qu'à ce signe on tenait pour « des gens qui seront
venus de Méséglise ». Quant à Guermantes, je devais un
jour en connaître davantage, mais bien plus tard seulement ;
et pendant toute mon adolescence, si Méséglise était pour
moi quelque chose d'inaccessible comme l'horizon, dérobé
à la vue, si loin qu'on allât, par les plis d'un terrain qui ne
ressemblait déjà plus à celui de Combray, Guermantes, lui,
ne m'est apparu que comme le terme, plutôt idéal que réel,
de son propre « côté », une sorte d'expression géographique
abstraite comme la ligne de l'équateur, comme le pôle,
comme l'orient. Alors, « prendre par Guermantes » pour
aller à Méséglise, ou le contraire, m'eût semblé une expression aussi dénuée de sens que prendre par l'est pour aller
à l'ouest. Comme mon père parlait toujours du côté de
Méséglise comme de la plus belle vue de la plaine qu'il
connût et du côté de Guermantes comme du type de paysage
de rivière, je leur donnais, en les concevant ainsi comme deux
entités, cette cohésion, cette unité qui n'appartiennent
qu'aux créations de notre esprit ; la moindre parcelle de
chacun d'eux me semblait précieuse et manifester leur
excellence particulière, tandis qu'à côté d'eux, avant qu'on
fût arrivé sur le sol sacré de l'un ou de l'autre, les chemins
purement matériels au milieu desquels ils étaient posés
comme l'idéal de la vue de plaine et l'idéal du paysage de
rivière, ne valaient pas plus la peine d'être regardés que,
par le spectateur épris d'art dramatique, les petites rues qui
avoisinent un théâtre. Mais surtout je mettais entre eux,
bien plus que leurs distances kilométriques, la distance qu'il
y avait entre les deux parties de mon cerveau où je pensais
à eux, une de ces distances dans l'esprit qui ne font pas
qu'éloigner, qui séparent et mettent dans un autre plan.
Et cette démarcation était rendue plus absolue encore parce

1. Il existe un *Méréglise* à 5 kilomètres à l'ouest d'Illiers. Si la propriété de
Swann se trouvait à Tansonville (hameau réel à 2 km au sud d'Illiers), il est
difficile de reconstituer le chemin suivi par le narrateur et sa famille.

que cette habitude que nous avions de n'aller jamais vers
les deux côtés un même jour, dans une seule promenade,
mais une fois du côté de Méséglise, une fois du côté de
Guermantes, les enfermait pour ainsi dire loin l'un de l'autre,
inconnaissables l'un à l'autre, dans les vases clos et sans
communication entre eux d'après-midi différents (9).

Quand on voulait aller du côté de Méséglise, on sortait
(pas trop tôt, et même si le ciel était couvert, parce que la
promenade n'était pas bien longue et n'entraînait pas trop)
comme pour aller n'importe où, par la grande porte de la
maison de ma tante sur la rue du Saint-Esprit. On était
salué par l'armurier, on jetait ses lettres à la boîte, on disait
en passant à Théodore, de la part de Françoise, qu'elle
n'avait plus d'huile ou de café, et l'on sortait de la ville par
le chemin qui passait le long de la barrière blanche du parc
de M. Swann. Avant d'y arriver, nous rencontrions, venue
au-devant des étrangers, l'odeur de ses lilas. Eux-mêmes,
d'entre les petits cœurs verts et frais de leurs feuilles,
levaient curieusement au-dessus de la barrière du parc leurs
panaches de plumes mauves ou blanches que lustrait, même
à l'ombre, le soleil où elles avaient baigné. Quelques-uns, à
demi cachés par la petite maison en tuiles appelée maison
des Archers, où logeait le gardien, dépassaient son pignon
gothique de leur rose minaret. Les Nymphes du printemps
eussent semblé vulgaires, auprès de ces jeunes houris qui
gardaient dans ce jardin français les tons vifs et purs des
miniatures de la Perse. Malgré mon désir d'enlacer leur
taille souple et d'attirer à moi les boucles étoilées de leur
tête odorante, nous passions sans nous arrêter, mes parents
n'allant plus à Tansonville depuis le mariage de Swann, et,
pour ne pas avoir l'air de regarder dans le parc, au lieu de
prendre le chemin qui longe sa clôture et qui monte directement aux champs, nous en prenions un autre qui y conduit
aussi, mais obliquement, et nous faisait déboucher trop
loin. Un jour, mon grand-père dit à mon père :

— Vous rappelez-vous que Swann a dit hier que, comme
sa femme et sa fille partaient pour Reims, il en profiterait
pour aller passer vingt-quatre heures à Paris ? Nous pourrions
longer le parc, puisque ces dames ne sont pas là, cela nous
abrégerait d'autant.

Nous nous arrêtâmes un moment devant la barrière. Le
temps des lilas approchait de sa fin ; quelques-uns effusaient

encore en hauts lustres mauves les bulles délicates de leurs
fleurs, mais dans bien des parties du feuillage où déferlait,
il y avait seulement une semaine, leur mousse embaumée,
se flétrissait, diminuée et noircie, une écume creuse, sèche
et sans parfum. Mon grand-père montrait à mon père en
quoi l'aspect des lieux était resté le même, et en quoi il
avait changé, depuis la promenade qu'il avait faite avec
M. Swann le jour de la mort de sa femme, et il saisit cette
occasion pour raconter cette promenade une fois de plus.

Devant nous, une allée bordée de capucines montait en
plein soleil vers le château. A droite, au contraire, le parc
s'étendait en terrain plat. Obscurcie par l'ombre des grands
arbres qui l'entouraient, une pièce d'eau avait été creusée
par les parents de Swann; mais dans ses créations les plus
factices, c'est sur la nature que l'homme travaille; certains
lieux font toujours régner autour d'eux leur empire particulier, arborent leurs insignes immémoriaux au milieu
d'un parc comme ils auraient fait loin de toute intervention
humaine dans une solitude qui revint partout les entourer,
surgie des nécessités de leur exposition et superposée à
l'œuvre humaine. C'est ainsi qu'au pied de l'allée qui
dominait l'étang artificiel, s'était composée sur deux rangs,
tressés de fleurs de myosotis et de pervenches, la couronne
naturelle, délicate et bleue qui ceint le front clair-obscur
des eaux, et que le glaïeul, laissant fléchir ses glaives avec
un abandon royal, étendait sur l'eupatoire et la grenouillette
au pied mouillé les fleurs de lis en lambeaux, violettes et
jaunes, de son sceptre lacustre.

Le départ de Mlle Swann qui — en m'ôtant la chance
terrible de la voir apparaître dans une allée, d'être connu et
méprisé par la petite fille privilégiée qui avait Bergotte pour
ami et allait avec lui visiter des cathédrales — me rendait la
contemplation de Tansonville indifférente la première fois
où elle m'était permise, semblait au contraire ajouter à
cette propriété, aux yeux de mon grand-père et de mon
père, des commodités, un agrément passager, et, comme fait,
pour une excursion en pays de montagnes, l'absence de tout
nuage, rendre cette journée exceptionnellement propice à
une promenade de ce côté; j'aurais voulu que leurs calculs
fussent déjoués, qu'un miracle fît apparaître Mlle Swann
avec son père, si près de nous que nous n'aurions pas le
temps de l'éviter et serions obligés de faire sa connaissance.

Aussi, quand tout à coup, j'aperçus sur l'herbe, comme un signe de sa présence possible, un couffin oublié à côté d'une ligne dont le bouchon flottait sur l'eau, je m'empressai de détourner d'un autre côté les regards de mon père et de mon grand-père. D'ailleurs, Swann nous ayant dit que c'était mal à lui de s'absenter, car il avait pour le moment de la famille à demeure, la ligne pouvait appartenir à quelque invité. On n'entendait aucun bruit de pas dans les allées. Divisant la hauteur d'un arbre incertain, un invisible oiseau s'ingéniait à faire trouver la journée courte, explorait d'une note prolongée la solitude environnante, mais il recevait d'elle une réplique si unanime, un choc en retour si redoublé de silence et d'immobilité qu'on aurait dit qu'il venait d'arrêter pour toujours l'instant qu'il avait cherché à faire passer plus vite. La lumière tombait si implacable du ciel devenu fixe que l'on aurait voulu se soustraire à son attention, et l'eau dormante elle-même, dont des insectes irritaient perpétuellement le sommeil, rêvant sans doute de quelque Maelstrom[1] imaginaire, augmentait le trouble où m'avait jeté la vue du flotteur de liège en semblant l'entraîner à toute vitesse sur les étendues silencieuses du ciel reflété; presque vertical il paraissait prêt à plonger et déjà je me demandais si, sans tenir compte du désir et de la crainte que j'avais de la connaître, je n'avais pas le devoir de faire prévenir Mlle Swann que le poisson mordait, — quand il me fallut rejoindre en courant mon père et mon grand-père qui m'appelaient, étonnés que je ne les eusse pas suivis dans le petit chemin qui monte vers les champs et où ils s'étaient engagés. Je le trouvai tout bourdonnant de l'odeur des aubépines. La haie formait comme une suite de chapelles qui disparaissaient sous la jonchée de leurs fleurs amoncelées en reposoir; au-dessous d'elles, le soleil posait à terre un quadrillage de clarté, comme s'il venait de traverser une verrière; leur parfum s'étendait aussi onctueux, aussi délimité en sa forme que si j'eusse été devant l'autel de la Vierge, et les fleurs, aussi parées, tenaient chacune d'un air distrait son étincelant bouquet d'étamines, fines et rayonnantes nervures de style flamboyant comme celles qui à l'église ajouraient la rampe du jubé ou les meneaux du vitrail et qui s'épanouissaient en blanche chair de fleur de fraisier.

---

1. *Maelstrom* : courant marin qui passe au large des côtes nord de la Norvège. Il n'est pas aussi dangereux que le veut sa réputation.

Combien naïves et paysannes en comparaison sembleraient les églantines qui, dans quelques semaines, monteraient elles aussi en plein soleil le même chemin rustique, en la soie unie de leur corsage rougissant qu'un souffle défait !

Mais j'avais beau rester devant les aubépines à respirer, à porter devant ma pensée qui ne savait ce qu'elle devait en faire, à perdre, à retrouver leur invisible et fixe odeur, à m'unir au rythme qui jetait leurs fleurs ici et là avec une allégresse juvénile et à des intervalles inattendus comme certains intervalles musicaux, elles m'offraient indéfiniment le même charme avec une profusion inépuisable, mais sans me le laisser approfondir davantage, comme ces mélodies qu'on rejoue cent fois de suite sans descendre plus avant dans leur secret. Je me détournais d'elles un moment, pour les aborder ensuite avec des forces plus fraîches. Je poursuivais jusque sur le talus qui, derrière la haie, montait en pente raide vers les champs, quelque coquelicot perdu, quelques bluets restés paresseusement en arrière, qui le décoraient çà et là de leurs fleurs comme la bordure d'une tapisserie où apparaît clairsemé le motif agreste qui triomphera sur le panneau ; rares encore, espacés comme les maisons isolées qui annoncent déjà l'approche d'un village, ils m'annonçaient l'immense étendue où déferlent les blés, où moutonnent les nuages, et la vue d'un seul coquelicot hissant au bout de son cordage et faisant cingler au vent sa flamme rouge, au-dessus de sa bouée graisseuse et noire, me faisait battre le cœur, comme au voyageur qui aperçoit sur une terre basse une première barque échouée que répare un calfat, et s'écrie, avant de l'avoir encore vue : « La Mer ! »

Puis je revenais devant les aubépines comme devant ces chefs-d'œuvre dont on croit qu'on saura mieux les voir quand on a cessé un moment de les regarder, mais j'avais beau me faire un écran de mes mains pour n'avoir qu'elles sous les yeux, le sentiment qu'elles éveillaient en moi restait obscur et vague, cherchant en vain à se dégager, à venir adhérer à leurs fleurs. Elles ne m'aidaient pas à l'éclaircir, et je ne pouvais demander à d'autres fleurs de le satisfaire. Alors, me donnant cette joie que nous éprouvons quand nous voyons de notre peintre préféré une œuvre qui diffère de celles que nous connaissions, ou bien si l'on nous mène devant un tableau dont nous n'avions vu jusque-là qu'une esquisse au crayon, si un morceau entendu seulement au

piano nous apparaît ensuite revêtu des couleurs de l'orchestre, mon grand-père m'appelant et me désignant la
haie de Tansonville, me dit : « Toi qui aimes les aubépines,
regarde un peu cette épine rose; est-elle jolie! » En effet
c'était une épine, mais rose, plus belle encore que les
blanches. Elle aussi avait une parure de fête, — de ces
seules vraies fêtes que sont les fêtes religieuses, puisqu'un
caprice contingent ne les applique pas comme les fêtes mon-
daines à un jour quelconque qui ne leur est pas spécialement destiné, qui n'a rien d'essentiellement férié — mais
une parure plus riche encore, car les fleurs attachées sur la
branche, les unes au-dessus des autres, de manière à ne laisser
aucune place qui ne fût décorée, comme des pompons qui
enguirlandent une houlette rococo, étaient « en couleur »,
par conséquent d'une qualité supérieure, selon l'esthétique
de Combray, si l'on en jugeait par l'échelle des prix dans le
« magasin » de la Place ou chez Camus où étaient plus chers
ceux des biscuits qui étaient roses. Moi-même j'appréciais
plus le fromage à la crème rose, celui où l'on m'avait permis
d'écraser des fraises. Et justement ces fleurs avaient choisi
une de ces teintes de chose mangeable ou de tendre embel-
lissement à une toilette pour une grande fête, qui, parce
qu'elles leur présentent la raison de leur supériorité, sont
celles qui semblent belles avec le plus d'évidence aux yeux
des enfants et, à cause de cela, gardent toujours pour eux
quelque chose de plus vif et de plus naturel que les autres
teintes, même lorsqu'ils ont compris qu'elles ne promettaient
rien à leur gourmandise et n'avaient pas été choisies par la
couturière. Et certes, je l'avais tout de suite senti, comme
devant les épines blanches mais avec plus d'émerveillement,
que ce n'était pas facticement, par un artifice de fabrication
humaine, qu'était traduite l'intention de festivité dans les
fleurs, mais que c'était la nature qui, spontanément, l'avait
exprimée avec la naïveté d'une commerçante de village
travaillant pour un reposoir, en surchargeant l'arbuste de
ces rosettes d'un ton trop tendre et d'un pompadour provincial. Au haut des branches, comme autant de ces petits
rosiers aux pots cachés dans des papiers en dentelles, dont
aux grandes fêtes on faisait rayonner sur l'autel les minces
fusées, pullulaient mille petits boutons d'une teinte plus
pâle qui, en s'entr'ouvrant, laissaient voir, comme au fond
d'une coupe de marbre rose, de rouges sanguines, et trahis-

saient, plus encore que les fleurs, l'essence particulière, irrésistible, de l'épine, qui, partout où elle bourgeonnait, où elle allait fleurir, ne le pouvait qu'en rose. Intercalé dans la haie, mais aussi différent d'elle qu'une jeune fille en robe de fête au milieu de personnes en négligé qui resteront à la maison, tout prêt pour le mois de Marie, dont il semblait faire partie déjà, tel brillait en souriant dans sa fraîche toilette rose l'arbuste catholique et délicieux (**10**).

La haie laissait voir à l'intérieur du parc une allée bordée de jasmins, de pensées et de verveines entre lesquelles des giroflées ouvraient leur bourse fraîche du rose odorant et passé d'un cuir ancien de Cordoue, tandis que sur le gravier un long tuyau d'arrosage peint en vert, déroulant ses circuits, dressait aux points où il était percé, au-dessus des fleurs dont il imbibait les parfums, l'éventail vertical et prismatique de ses gouttelettes multicolores. Tout à coup, je m'arrêtai, je ne pus plus bouger, comme il arrive quand une vision ne s'adresse pas seulement à nos regards, mais requiert des perceptions plus profondes et dispose de notre être tout entier. Une fillette d'un blond roux, qui avait l'air de rentrer de promenade et tenait à la main une bêche de jardinage, nous regardait, levant son visage semé de taches roses. Ses yeux noirs brillaient et, comme je ne savais pas alors, ni ne l'ai appris depuis, réduire en ses éléments objectifs une impression forte, comme je n'avais pas, ainsi qu'on dit, assez « d'esprit d'observation » pour dégager la notion de leur couleur, pendant longtemps, chaque fois que je repensai à elle, le souvenir de leur éclat se présentait aussitôt à moi comme celui d'un vif azur, puisqu'elle était blonde : de sorte que, peut-être si elle n'avait pas eu des yeux aussi noirs — ce qui frappait tant la première fois qu'on la voyait — je n'aurais pas été, comme je le fus, plus particulièrement amoureux, en elle, de ses yeux bleus.

Je la regardais, d'abord de ce regard qui n'est pas que le porte-parole des yeux, mais à la fenêtre duquel se penchent tous les sens, anxieux et pétrifiés, le regard qui voudrait toucher, capturer, emmener le corps qu'il regarde et l'âme avec lui; puis, tant j'avais peur que d'une seconde à l'autre mon grand-père et mon père, apercevant cette jeune fille, me fissent éloigner en me disant de courir un peu devant eux, d'un second regard, inconsciemment supplicateur, qui tâchait de la forcer à faire attention à moi, à me connaître!

Elle jeta en avant et de côté ses pupilles pour prendre connaissance de mon grand-père et de mon père, et sans doute l'idée
qu'elle en rapporta fut celle que nous étions ridicules, car
elle se détourna, et d'un air indifférent et dédaigneux, se
plaça de côté pour épargner à son visage d'être dans leur
champ visuel; et tandis que, continuant à marcher et ne
l'ayant pas aperçue, ils m'avaient dépassé, elle laissa ses
regards filer de toute leur longueur dans ma direction, sans
expression particulière, sans avoir l'air de me voir, mais avec
une fixité et un sourire dissimulé que je ne pouvais interpréter d'après les notions que l'on m'avait données sur la
bonne éducation que comme une preuve d'outrageant mépris.

[Le village de Montjouvain, Mlle Vinteuil.]

S'il était assez simple d'aller du côté de Méséglise, c'était
une autre affaire d'aller du côté de Guermantes, car la
promenade était longue et l'on voulait être sûr du temps qu'il
ferait. Quand on semblait entrer dans une série de beaux
jours; quand Françoise, désespérée qu'il ne tombât pas une
goutte d'eau pour les « pauvres récoltes », et ne voyant
que de rares nuages blancs nageant à la surface calme et
bleue du ciel, s'écriait en gémissant: «Ne dirait-on pas qu'on
voit ni plus ni moins des chiens de mer qui jouent en montrant là-haut leurs museaux? Ah! ils pensent bien à faire
pleuvoir pour les pauvres laboureurs! Et puis quand les
blés seront poussés, alors la pluie se mettra à tomber tout
à petit patapon[1], sans discontinuer, sans plus savoir sur
quoi elle tombe que si c'était sur la mer »; quand mon père
avait reçu invariablement les mêmes réponses favorables du
jardinier et du baromètre, alors on disait au dîner: «Demain,
s'il fait le même temps, nous irons du côté de Guermantes. »
On partait tout de suite après déjeuner par la petite porte du
jardin et on tombait dans la rue des Perchamps[2], étroite et
formant un angle aigu, remplie de graminées, au milieu
desquelles deux ou trois guêpes passaient la journée à herbo-
riser, aussi bizarre que son nom d'où me semblaient dériver
ses particularités curieuses et sa personnalité revêche, et
qu'on chercherait en vain dans le Combray d'aujourd'hui
où sur son tracé ancien s'élève l'école. Mais ma rêverie

1. *Patapon :* onomatopée indiquant la douceur monotone, probablement
suggérée à Proust par le refrain de la chanson « Il était une bergère »; 2. Cette
rue n'existe pas à Illiers. Mais il y en a une à Paris, dans le quartier d'Auteuil,
qui longeait la propriété d'un oncle de Proust.

(semblable à ces architectes élèves de Viollet-le-Duc[1], qui, croyant retrouver sous un jubé Renaissance et un autel du XVIIᵉ siècle les traces d'un chœur roman, remettent tout l'édifice dans l'état où il devait être au XIIᵉ siècle) ne laisse pas une pierre du bâtiment nouveau, reperce et « restitue » la rue des Perchamps. Elle a d'ailleurs pour ces reconstitutions des données plus précises que n'en ont généralement les restaurateurs : quelques images conservées par ma mémoire, les dernières peut-être qui existent encore actuellement, et destinées à être bientôt anéanties, de ce qu'était le Combray du temps de mon enfance; et, parce que c'est lui-même qui les a tracées en moi avant de disparaître, émouvantes — si on peut comparer un obscur portrait à ces effigies glorieuses dont ma grand'mère aimait à me donner des reproductions — comme des gravures anciennes de la Cène ou ce tableau de Gentile Bellini[2], dans lesquels l'on voit en un état qui n'existe plus aujourd'hui le chef-d'œuvre de Vinci et le portail de Saint-Marc.

On passait, rue de l'Oiseau, devant la vieille hôtellerie de l'Oiseau flesché dans la grande cour de laquelle entrèrent quelquefois au XVIIᵉ siècle les carrosses des duchesses de Montpensier, de Guermantes et de Montmorency[3], quand elles avaient à venir à Combray pour quelque contestation avec leurs fermiers, pour une question d'hommage. On gagnait le mail entre les arbres duquel apparaissait le clocher de Saint-Hilaire. Et j'aurais voulu pouvoir m'asseoir là et rester toute la journée à lire en écoutant les cloches; car il faisait si beau et si tranquille que, quand sonnait l'heure, on aurait dit non qu'elle rompait le calme du jour, mais qu'elle le débarrassait de ce qu'il contenait et que le clocher, avec l'exactitude indolente et soigneuse d'une personne qui n'a rien d'autre à faire, venait seulement — pour exprimer et laisser tomber les quelques gouttes d'or que la chaleur y avait lentement et naturellement amassées — de presser, au moment voulu, la plénitude du silence.

---

1. *Viollet-le-Duc* : architecte (1814-1879) qui restaurait un peu indiscrètement les monuments anciens d'après ses conjectures personnelles; 2. *La Cène* de Léonard de Vinci (fresque de Sainte-Marie-des-Grâces, à Milan) est actuellement en très mauvais état. Une gravure de Morghen (1758-1833), dont Proust parle par ailleurs, peut nous donner l'idée de ce que la fresque était autrefois. Quant au tableau de Bellini, il représente la procession sur la place Saint-Marc (Venise, Galerie Royale); 3. Proust entremêle ici, comme il le fait souvent, les personnages historiques et les personnages fictifs de son roman (duchesse de Guermantes).

Le plus grand charme du côté de Guermantes, c'est qu'on y avait presque tout le temps à côté de soi le cours de la Vivonne. On la traversait une première fois, dix minutes après avoir quitté la maison, sur une passerelle dite le Pont-Vieux. Dès le lendemain de notre arrivée, le jour de Pâques après le sermon, s'il faisait beau temps, je courais jusque-là, voir dans ce désordre d'un matin de grande fête où quelques préparatifs somptueux font paraître plus sordides les ustensiles de ménage qui traînent encore, la rivière qui se promenait déjà en bleu ciel entre les terres encore noires et nues, accompagnée seulement d'une bande de coucous arrivés trop tôt et de primevères en avance, cependant que çà et là une violette au bec bleu laissait fléchir sa tige sous le poids de la goutte d'odeur qu'elle tenait dans son cornet. Le Pont-Vieux débouchait dans un sentier de halage qui à cet endroit se tapissait l'été du feuillage bleu d'un noisetier sous lequel un pêcheur en chapeau de paille avait pris racine. A Combray où je savais quelle individualité de maréchal ferrant ou de garçon épicier était dissimulée sous l'uniforme du suisse ou le surplis de l'enfant de chœur, ce pêcheur est la seule personne dont je n'aie jamais découvert l'identité. Il devait connaître mes parents, car il soulevait son chapeau quand nous passions; je voulais alors demander son nom, mais on me faisait signe de me taire pour ne pas effrayer le poisson. Nous nous engagions dans le sentier de halage qui dominait le courant d'un talus de plusieurs pieds; de l'autre côté la rive était basse, étendue en vastes prés jusqu'au village et jusqu'à la gare qui en était distante. Ils étaient semés des restes, à demi enfouis dans l'herbe, du château des anciens comtes de Combray qui au moyen âge avait de ce côté le cours de la Vivonne comme défense contre les attaques des sires de Guermantes et des abbés de Martinville. Ce n'étaient plus que quelques fragments de tours bossuant la prairie, à peine apparents, quelques créneaux d'où jadis l'arbalétrier lançait des pierres, d'où le guetteur surveillait Novepont, Clairefontaine, Martinville-le-Sec, Bailleau-l'Exempt[1], toutes terres vassales de Guermantes entre lesquelles Combray était enclavé, aujourd'hui au ras de l'herbe, dominés par les enfants de l'école

---

1. *Novepont* et *Bailleau-l'Exempt* n'existent pas, et il n'y a aucun *Clairefontaine* à proximité d'Illiers. *Martinville* (sans adjectif) se trouve, d'après M. Ferré, à une trentaine de kilomètres d'Illiers.

des frères qui venaient là apprendre leurs leçons ou jouer
aux récréations — passé presque descendu dans la terre,
couché au bord de l'eau comme un promeneur qui prend le
frais, mais me donnant fort à songer, me faisant ajouter
dans le nom de Combray à la petite ville d'aujourd'hui une
cité très différente, retenant mes pensées par son visage
incompréhensible et d'autrefois qu'il cachait à demi sous
les boutons d'or. Ils étaient fort nombreux à cet endroit
qu'ils avaient choisi pour leurs jeux sur l'herbe, isolés, par
couples, par troupes, jaunes comme un jaune d'œuf, brillant
d'autant plus, me semblait-il, que ne pouvant dériver vers
aucune velléité de dégustation le plaisir que leur vue me
causait, je l'accumulais dans leur surface dorée, jusqu'à ce
qu'il devînt assez puissant pour produire de l'inutile beauté ;
et cela dès ma plus petite enfance, quand du sentier de halage
je tendais les bras vers eux sans pouvoir épeler complètement leur joli nom de Princes de contes de fées français,
venus peut-être il y a bien des siècles d'Asie, mais apatriés
pour toujours au village, contents du modeste horizon,
aimant le soleil et le bord de l'eau, fidèles à la petite vue
de la gare, gardant encore pourtant comme certaines de nos
vieilles toiles peintes, dans leur simplicité populaire, un
poétique éclat d'orient.

Je m'amusais à regarder les carafes que les gamins met-
taient dans la Vivonne pour prendre les petits poissons, et
qui, remplies par la rivière où elles sont à leur tour encloses,
à la fois « contenant » aux flancs transparents comme une eau
durcie et « contenu » plongé dans un plus grand contenant
de cristal liquide et courant, évoquaient l'image de la fraîcheur d'une façon plus délicieuse et plus irritante qu'elles
n'eussent fait sur une table servie, en ne la montrant qu'en
fuite dans cette allitération perpétuelle entre l'eau sans
consistance où les mains ne pouvaient la capter et le verre
sans fluidité où le palais ne pourrait en jouir. Je me pro-
mettais de venir là plus tard avec des lignes ; j'obtenais qu'on
tirât un peu de pain des provisions du goûter, j'en jetais
dans la Vivonne des boulettes qui semblaient suffire pour y
provoquer un phénomène de sursaturation, car l'eau se
solidifiait aussitôt autour d'elles en grappes ovoïdes de
têtards inanitiés[1] qu'elle tenait sans doute jusque-là en

___
1. *Inanitiés* : frappés d'inanition (mot savant).

dissolution, invisibles, tout près d'être en voie de cristal-
lisation.

Bientôt le cours de la Vivonne s'obstrue de plantes d'eau.
Il y en a d'abord d'isolées comme tel nénufar à qui le courant au travers duquel il était placé d'une façon malheureuse
laissait si peu de repos que, comme un bac actionné mécaniquement, il n'abordait une rive que pour retourner à celle
d'où il était venu, refaisant éternellement la double traversée.
Poussé vers la rive, son pédoncule se dépliait, s'allongeait,
filait, atteignait l'extrême limite de sa tension jusqu'au bord
où le courant le reprenait, le vert cordage se repliait sur
lui-même et ramenait la pauvre plante à ce qu'on peut
d'autant mieux appeler son point de départ qu'elle n'y
restait pas une seconde sans en repartir par une répétition
de la même manœuvre. Je la retrouvais de promenade en
promenade, toujours dans la même situation, faisant penser
à certains neurasthéniques au nombre desquels mon grand-
père comptait ma tante Léonie, qui nous offrent sans changement au cours des années le spectacle des habitudes
bizarres qu'ils se croient chaque fois à la veille de secouer
et qu'ils gardent toujours; pris dans l'engrenage de leurs
malaises et de leurs manies, les efforts dans lesquels ils se
débattent inutilement pour en sortir ne font qu'assurer le
fonctionnement et faire jouer le déclic de leur diététique
étrange, inéluctable et funeste. Tel était ce nénufar, pareil
aussi à quelqu'un de ces malheureux dont le tourment
singulier, qui se répète indéfiniment durant l'éternité, exci-
tait la curiosité de Dante[1], et dont il se serait fait raconter
plus longuement les particularités et la cause par le supplicié
lui-même, si Virgile, s'éloignant à grands pas, ne l'avait
forcé à le rattraper au plus vite, comme moi mes parents.

Mais plus loin le courant se ralentit, il traverse une propriété dont l'accès était ouvert au public par celui à qui elle
appartenait et qui s'y était complu à des travaux d'horti-
culture aquatique, faisant fleurir, dans les petits étangs que
forme la Vivonne, de véritables jardins de nymphéas. Comme
les rives étaient à cet endroit très boisées, les grandes ombres
des arbres donnaient à l'eau un fond qui était habituellement

---

1. Cette situation se répète à plusieurs reprises dans *la Divine Comédie*,
notamment *Enfer*, XXIX, v. 1 à 12, à propos de Bertrand de Born, un décapité
qui tend sa tête à bout de bras pour parler de plus près à Dante, et *Enfer*, XXX,
v. 130 à 148, au cours de la querelle entre maître Adam et Simon. Virgile ajoute :
« Vouloir entendre ces choses est un désir ignoble. »

d'un vert sombre mais que parfois, quand nous rentrions par certains soirs rassérénés d'après-midi orageux, j'ai vu d'un bleu clair et cru, tirant sur le violet, d'apparence cloisonnée et de goût japonais. Çà et là, à la surface, rougissait comme une fraise une fleur de nymphéa au cœur écarlate, blanc sur les bords. Plus loin, les fleurs plus nombreuses étaient plus pâles, moins lisses, plus grenues, plus plissées, et disposées par le hasard en enroulements si gracieux qu'on croyait voir flotter à la dérive, comme après l'effeuillement mélancolique d'une fête galante, des roses mousseuses en guirlandes dénouées. Ailleurs un coin semblait réservé aux espèces communes qui montraient le blanc et rose proprets de la julienne, lavés comme de la porcelaine avec un soin domestique, tandis qu'un peu plus loin, pressées les unes contre les autres en une véritable plate-bande flottante, on eût dit des pensées des jardins qui étaient venues poser comme des papillons leurs ailes bleuâtres et glacées sur l'obliquité transparente de ce parterre d'eau; de ce parterre céleste aussi : car il donnait aux fleurs un sol d'une couleur plus précieuse, plus émouvante que la couleur des fleurs elles-mêmes; et, soit que dans l'après-midi il fît étinceler sous les nymphéas le kaléidoscope d'un bonheur attentif, silencieux et mobile, ou qu'il s'emplît vers le soir, comme quelque port lointain, du rose et de la rêverie du couchant, changeant sans cesse pour rester toujours en accord, autour des corolles de teintes plus fixes, avec ce qu'il y a de plus profond, de plus fugitif, de plus mystérieux — avec ce qu'il y a d'infini — dans l'heure, il semblait les avoir fait fleurir en plein ciel.

Au sortir de ce parc, la Vivonne redevient courante. Que de fois j'ai vu, j'ai désiré imiter quand je serais libre de vivre à ma guise, un rameur, qui, ayant lâché l'aviron, s'était couché à plat sur le dos, la tête en bas, au fond de sa barque, et la laissant flotter à la dérive, ne pouvant voir que le ciel qui filait lentement au-dessus de lui, portait sur son visage l'avant-goût du bonheur et de la paix!

Nous nous asseyions entre les iris au bord de l'eau. Dans le ciel férié flânait longuement un nuage oisif. Par moments, oppressée par l'ennui, une carpe se dressait hors de l'eau dans une aspiration anxieuse. C'était l'heure du goûter. Avant de repartir nous restions longtemps à manger des fruits, du pain et du chocolat, sur l'herbe où parvenaient

jusqu'à nous, horizontaux, affaiblis, mais denses et métal-
liques encore, des sons de la cloche de Saint-Hilaire qui ne
s'étaient pas mélangés à l'air qu'ils traversaient depuis si
longtemps et, côtelés par la palpitation successive de toutes
leurs lignes sonores, vibraient en rasant les fleurs, à nos
pieds.

Parfois, au bord de l'eau entourée de bois, nous rencontrions une maison dite de plaisance, isolée, perdue, qui ne
voyait rien du monde que la rivière qui baignait ses pieds.
Une jeune femme dont le visage pensif et les voiles élégants
n'étaient pas de ce pays et qui sans doute était venue, selon
l'expression populaire, « s'enterrer » là, goûter le plaisir
amer de sentir que son nom, le nom surtout de celui dont
elle n'avait pu garder le cœur, y était inconnu, s'encadrait
dans la fenêtre qui ne lui laissait pas regarder plus loin
que la barque amarrée près de la porte. Elle levait distrai-
tement les yeux en entendant derrière les arbres de la rive la
voix des passants dont, avant qu'elle eût aperçu leur visage,
elle pouvait être certaine que jamais ils n'avaient connu, ni
ne connaîtraient l'infidèle, que rien dans leur passé ne gardait
sa marque, que rien dans leur avenir n'aurait l'occasion de
la recevoir. On sentait que, dans son renoncement, elle avait
volontairement quitté des lieux où elle aurait pu du moins
apercevoir celui qu'elle aimait, pour ceux-ci qui ne l'avaient
jamais vu. Et je la regardais, revenant de quelque promenade
sur un chemin où elle savait qu'il ne passerait pas, ôter de
ses mains résignées de longs gants d'une grâce inutile (**11**).

Jamais dans la promenade du côté de Guermantes nous
ne pûmes remonter jusqu'aux sources de la Vivonne, auxquelles j'avais souvent pensé et qui avaient pour moi une
existence si abstraite, si idéale, que j'avais été aussi surpris
quand on m'avait dit qu'elles se trouvaient dans le dépar-
tement, à une certaine distance kilométrique de Combray,
que le jour où j'avais appris qu'il y avait un autre point
précis de la terre où s'ouvrait, dans l'antiquité, l'entrée des
Enfers[1]. Jamais non plus nous ne pûmes pousser jusqu'au
terme que j'eusse tant souhaité d'atteindre, jusqu'à Guermantes. Je savais que là résidaient des châtelains, le duc et
la duchesse de Guermantes, je savais qu'ils étaient des
personnages réels et actuellement existants, mais chaque

---

1. Les Anciens plaçaient l'entrée des Enfers dans la région désolée du lac
Averne, un ancien cratère de volcan à proximité de Naples.

fois que je pensais à eux, je me les représentais tantôt en
tapisserie, comme était la comtesse de Guermantes dans le
« Couronnement d'Esther » de notre église, tantôt de nuances
changeantes, comme était Gilbert le Mauvais dans le vitrail
où il passait du vert chou au bleu prune, selon que j'étais
encore à prendre de l'eau bénite ou que j'arrivais à nos
chaises, tantôt tout à fait impalpables comme l'image de
Geneviève de Brabant[1], ancêtre de la famille de Guermantes,
que la lanterne magique promenait sur les rideaux de ma
chambre ou faisait monter au plafond — enfin toujours
enveloppés du mystère des temps mérovingiens et baignant
comme dans un coucher de soleil, dans la lumière orangée
qui émane de cette syllabe : « antes ». Mais si malgré cela
ils étaient pour moi, en tant que duc et duchesse, des êtres
réels, bien qu'étranges, en revanche leur personne ducale se
distendait démesurément, s'immatérialisait, pour pouvoir
contenir en elle ce Guermantes dont ils étaient duc et
duchesse, tout ce « côté de Guermantes » ensoleillé, le cours
de la Vivonne, ses nymphéas et ses grands arbres, et tant de
beaux après-midi. Et je savais qu'ils ne portaient pas seulement le titre de duc et de duchesse de Guermantes, mais
que depuis le XIVe siècle où, après avoir inutilement essayé
de vaincre leurs anciens seigneurs ils s'étaient alliés à eux
par des mariages, ils étaient comtes de Combray, les premiers
des citoyens de Combray par conséquent et pourtant les
seuls qui n'y habitassent pas. Comtes de Combray, possédant
Combray au milieu de leur nom, de leur personne, et sans
doute ayant effectivement en eux cette étrange et pieuse
tristesse qui était spéciale à Combray; propriétaires de la
ville, mais non d'une maison particulière, demeurant sans
doute dehors, dans la rue, entre ciel et terre, comme ce
Gilbert de Guermantes, dont je ne voyais aux vitraux de
l'abside de Saint-Hilaire que l'envers de laque noire, si je
levais la tête quand j'allais chercher du sel chez Camus (**12**).

Puis il arriva que sur le côté de Guermantes je passai
parfois devant de petits enclos humides où montaient des
grappes de fleurs sombres. Je m'arrêtais, croyant acquérir
une notion précieuse, car il me semblait avoir sous les yeux
un fragment de cette région fluviatile, que je désirais tant
connaître depuis que je l'avais vue décrite par un de mes

1. Cf. page 16, note 1.

écrivains préférés. Et ce fut avec elle, avec son sol imaginaire
traversé de cours d'eau bouillonnants, que Guermantes,
changeant d'aspect dans ma pensée, s'identifia, quand j'eus
entendu le docteur Percepied nous parler des fleurs et des
belles eaux vives qu'il y avait dans le parc du château. Je
rêvais que Mme de Guermantes m'y faisait venir, éprise
pour moi d'un soudain caprice; tout le jour elle y pêchait
la truite avec moi. Et le soir, me tenant par la main, en
passant devant les petits jardins de ses vassaux, elle me
montrait, le long des murs bas, les fleurs qui y appuient
leurs quenouilles violettes et rouges et m'apprenait leurs
noms. Elle me faisait lui dire le sujet des poèmes que j'avais
l'intention de composer. Et ces rêves m'avertissaient que,
puisque je voulais un jour être un écrivain, il était temps de
savoir ce que je comptais écrire. Mais dès que je me le
demandais, tâchant de trouver un sujet où je pusse faire
tenir une signification philosophique infinie, mon esprit
s'arrêtait de fonctionner, je ne voyais plus que le vide en
face de mon attention, je sentais que je n'avais pas de génie
ou peut-être une maladie cérébrale l'empêchait de naître.
Parfois je comptais sur mon père pour arranger cela. Il
était si puissant, si en faveur auprès des gens en place qu'il
arrivait à nous faire transgresser les lois que Françoise
m'avait appris à considérer comme plus inéluctables que
celles de la vie et de la mort, à faire retarder d'un an pour
notre maison, seule de tout le quartier, les travaux de
« ravalement », à obtenir du ministre, pour le fils de
Mme Sazerat qui voulait aller aux eaux, l'autorisation qu'il
passât le baccalauréat deux mois d'avance, dans la série
des candidats dont le nom commençait par un A au lieu
d'attendre le tour des S. Si j'étais tombé gravement malade,
si j'avais été capturé par des brigands, persuadé que mon
père avait trop d'intelligences avec les puissances suprêmes,
de trop irrésistibles lettres de recommandation auprès du
bon Dieu pour que ma maladie ou ma captivité pussent
être autre chose que de vains simulacres sans danger pour
moi, j'aurais attendu avec calme l'heure inévitable du retour
à la bonne réalité, l'heure de la délivrance ou de la guérison;
peut-être cette absence de génie, ce trou noir qui se creusait
dans mon esprit quand je cherchais le sujet de mes écrits
futurs, n'était-il aussi qu'une illusion sans consistance, et
cesserait-elle par l'intervention de mon père qui avait dû

convenir avec le Gouvernement[1] et avec la Providence que je serais le premier écrivain de l'époque. Mais d'autres fois, tandis que mes parents s'impatientaient de me voir rester en arrière et ne pas les suivre, ma vie actuelle, au lieu de me sembler une création artificielle de mon père et qu'il pouvait modifier à son gré, m'apparaissait au contraire comme comprise dans une réalité qui n'était pas faite pour moi, contre laquelle il n'y avait pas de recours, au cœur de laquelle je n'avais pas d'allié, qui ne cachait rien au delà d'elle-même. Il me semblait alors que j'existais de la même façon que les autres hommes, que je vieillirais, que je mourrais comme eux, et que parmi eux j'étais seulement du nombre de ceux qui n'ont pas de dispositions pour écrire. Aussi, découragé, je renonçais à jamais à la littérature, malgré les encouragements que m'avait donnés Bloch. Ce sentiment intime, immédiat, que j'avais du néant de ma pensée, prévalait contre toutes les paroles flatteuses qu'on pouvait me prodiguer comme, chez un méchant dont chacun vante les bonnes actions, les remords de sa conscience.

Un jour, ma mère me dit : « Puisque tu parles toujours de Mᵐᵉ de Guermantes, comme le docteur Percepied[2] l'a très bien soignée il y a quatre ans, elle doit venir à Combray pour assister au mariage de sa fille. Tu pourras l'apercevoir à la cérémonie. » C'était du reste par le docteur Percepied que j'avais le plus entendu parler de Mᵐᵉ de Guermantes, et il nous avait même montré le numéro d'une revue illustrée où elle était représentée dans le costume qu'elle portait à un bal travesti chez la princesse de Léon.

Tout d'un coup, pendant la messe de mariage, un mouvement que fit le suisse en se déplaçant me permit de voir assise dans une chapelle une dame blonde avec un grand nez, des yeux bleus et perçants, une cravate bouffante en soie mauve, lisse, neuve et brillante, et un petit bouton au coin du nez. Et parce que dans la surface de son visage rouge, comme si elle eût eu très chaud, je distinguais, diluées et à peine perceptibles, des parcelles d'analogie avec le portrait qu'on m'avait montré, parce que surtout les traits particuliers que je relevais en elle, si j'essayais de les énoncer, se formulaient précisément dans les mêmes termes : un grand

1. Le père de Proust était médecin, mais il avait exercé une foule de fonctions officielles ; et il est devenu dans le roman un fonctionnaire important des Affaires étrangères ; 2. Ce nom était en réalité celui du facteur d'Illiers.

nez, des yeux bleus, dont s'était servi le docteur Percepied
quand il avait décrit devant moi la duchesse de Guermantes,
je me dis : cette dame ressemble à Mme de Guermantes ;
or la chapelle où elle suivait la messe était celle de Gilbert
le Mauvais, sous les plates tombes de laquelle, dorées et
distendues comme des alvéoles de miel, reposaient les
anciens comtes de Brabant, et que je me rappelais être, à
ce qu'on m'avait dit, réservée à la famille de Guermantes
quand quelqu'un de ses membres venait pour une cérémonie
à Combray ; il ne pouvait vraisemblablement y avoir qu'une
seule femme ressemblant au portrait de Mme de Guermantes,
qui fût ce jour-là, jour où elle devait justement venir, dans
cette chapelle : c'était elle ! Ma déception était grande.
Elle provenait de ce que je n'avais jamais pris garde, quand
je pensais à Mme de Guermantes, que je me la représentais
avec les couleurs d'une tapisserie ou d'un vitrail, dans un
autre siècle, d'une autre matière que le reste des personnes
vivantes. Jamais je ne m'étais avisé qu'elle pouvait avoir
une figure rouge, une cravate mauve comme Mme Sazerat,
et l'ovale de ses joues me fit tellement souvenir de personnes
que j'avais vues à la maison que le soupçon m'effleura, pour
se dissiper d'ailleurs aussitôt, que cette dame en son principe générateur, en toutes ses molécules, n'était peut-être
pas substantiellement la duchesse de Guermantes, mais que
son corps, ignorant du nom qu'on lui appliquait, appartenait
à un certain type féminin, qui comprenait aussi des femmes
de médecins et de commerçants. « C'est cela, ce n'est que
cela, Mme de Guermantes ! », disait la mine attentive et
étonnée avec laquelle je contemplais cette image qui naturellement n'avait aucun rapport avec celles qui, sous le
même nom de Mme de Guermantes, étaient apparues tant
de fois dans mes songes, puisque, elle, elle n'avait pas été
comme les autres arbitrairement formée par moi, mais
qu'elle m'avait sauté aux yeux pour la première fois, il y a
un moment seulement, dans l'église ; qui n'était pas de la
même nature, n'était pas colorable à volonté comme elles
qui se laissaient imbiber de la teinte orangée d'une syllabe,
mais était si réelle que tout, jusqu'à ce petit bouton qui
s'enflammait au coin du nez, certifiait son assujettissement
aux lois de la vie comme, dans une apothéose de théâtre, un
plissement de la robe de la fée, un tremblement de son petit
doigt, dénoncent la présence matérielle d'une actrice vivante,

là où nous étions incertains si nous n'avions pas devant les
yeux une simple projection lumineuse

Mais en même temps, sur cette image que le nez proéminent, les yeux perçants, épinglaient dans ma vision (peut-être
parce que c'étaient eux qui l'avaient d'abord atteinte, qui y
avaient fait la première encoche, au moment où je n'avais
pas encore le temps de songer que la femme qui apparaissait
devant moi pouvait être Mme de Guermantes), sur cette
image toute récente, inchangeable, j'essayais d'appliquer
l'idée : « C'est Mme de Guermantes », sans parvenir qu'à la
faire manœuvrer en face de l'image, comme deux disques
séparés par un intervalle. Mais cette Mme de Guermantes
à laquelle j'avais si souvent rêvé, maintenant que je voyais
qu'elle existait effectivement en dehors de moi, en prit
plus de puissance encore sur mon imagination qui, un
moment paralysée au contact d'une réalité si différente de
ce qu'elle attendait, se mit à réagir et à me dire : « Glorieux
dès avant Charlemagne, les Guermantes avaient le droit
de vie et de mort sur leurs vassaux ; la duchesse de Guermantes descend de Geneviève de Brabant. Elle ne connaît,
ni ne consentirait à connaître aucune des personnes qui
sont ici (**13**). »

Et — ô merveilleuse indépendance des regards humains,
retenus au visage par une corde si lâche, si longue, si exten-
sible qu'ils peuvent se promener seuls loin de lui ! —
pendant que Mme de Guermantes était assise dans la chapelle
au-dessus des tombes de ses morts, ses regards flânaient çà et
là, montaient le long des piliers, s'arrêtaient même sur moi
comme un rayon de soleil errant dans la nef, mais un rayon
de soleil qui, au moment où je reçus sa caresse, me sembla
conscient. Quant à Mme de Guermantes elle-même, comme
elle restait immobile, assise comme une mère qui semble
ne pas voir les audaces espiègles et les entreprises indiscrètes
de ses enfants qui jouent et interpellent des personnes qu'elle
ne connaît pas, il me fut impossible de savoir si elle approu-
vait ou blâmait, dans le désœuvrement de son âme, le vaga-
bondage de ses regards.

Je trouvais important qu'elle ne partît pas avant que
j'eusse pu la regarder suffisamment, car je me rappelais que
depuis des années je considérais sa vue comme éminemment
désirable, et je ne détachais pas mes yeux d'elle, comme si
chacun de mes regards eût pu matériellement emporter et

mettre en réserve en moi le souvenir du nez proéminent, des
joues rouges, de toutes ces particularités qui me semblaient
autant de renseignements précieux, authentiques et singuliers sur son visage. Maintenant que me le faisaient trouver
beau toutes les pensées que j'y rapportais — et peut-être
surtout, forme de l'instinct de conservation des meilleures
parties de nous-mêmes, ce désir qu'on a toujours de ne pas
avoir été déçu — la replaçant (puisque c'était une seule
personne qu'elle et cette duchesse de Guermantes que j'avais
évoquée jusque-là) hors du reste de l'humanité dans laquelle
la vue pure et simple de son corps me l'avait fait un instant
confondre, je m'irritais en entendant dire autour de moi :
« Elle est mieux que Mme Sazerat, que Mlle Vinteuil »,
comme si elle leur eût été comparable. Et mes regards
s'arrêtant à ses cheveux blonds, à ses yeux bleus, à l'attache
de son cou et omettant les traits qui eussent pu me rappeler
d'autres visages, je m'écriais devant ce croquis volontairement incomplet : « Qu'elle est belle ! Quelle noblesse !
Comme c'est bien une fière Guermantes, la descendante
de Geneviève de Brabant, que j'ai devant moi ! » Et l'attention avec laquelle j'éclairais son visage l'isolait tellement,
qu'aujourd'hui, si je repense à cette cérémonie, il m'est
impossible de revoir une seule des personnes qui y assis-
taient sauf elle et le suisse qui répondit affirmativement
quand je lui demandai si cette dame était bien Mme de
Guermantes. Mais elle, je la revois, surtout au moment
du défilé dans la sacristie qu'éclairait le soleil intermittent et
chaud d'un jour de vent et d'orage, et dans laquelle Mme de
Guermantes se trouvait au milieu de tous ces gens de
Combray dont elle ne savait même pas les noms, mais dont
l'infériorité proclamait trop sa suprématie pour qu'elle ne
ressentît pas pour eux une sincère bienveillance, et auxquels
du reste elle espérait imposer davantage encore à force de
bonne grâce et de simplicité. Aussi, ne pouvant émettre ces
regards volontaires, chargés d'une signification précise,
qu'on adresse à quelqu'un qu'on connaît, mais seulement
laisser ses pensées distraites s'échapper incessamment devant
elle en un flot de lumière bleue qu'elle ne pouvait contenir,
elle ne voulait pas qu'il pût gêner, paraître dédaigner ces
petites gens qu'il rencontrait au passage, qu'il atteignait
à tous moments. Je revois encore, au-dessus de sa cravate
mauve, soyeuse et gonflée, le doux étonnement de ses yeux

auxquels elle avait ajouté, sans oser le destiner à personne,
mais pour que tous pussent en prendre leur part, un sourire
un peu timide de suzeraine qui a l'air de s'excuser auprès
de ses vassaux et de les aimer. Ce sourire tomba sur moi
qui ne la quittais pas des yeux. Alors me rappelant ce regard
qu'elle avait laissé s'arrêter sur moi, pendant la messe,
bleu comme un rayon de soleil qui aurait traversé le vitrail
de Gilbert le Mauvais, je me dis : « Mais sans doute elle
fait attention à moi. » Je crus que je lui plaisais, qu'elle
penserait encore à moi quand elle aurait quitté l'église,
qu'à cause de moi elle serait peut-être triste le soir à Guermantes. Et aussitôt je l'aimai, car s'il peut quelquefois suffire
pour que nous aimions une femme qu'elle nous regarde avec
mépris comme j'avais cru qu'avait fait Mlle Swann, et que
nous pensions qu'elle ne pourra jamais nous appartenir,
quelquefois aussi il peut suffire qu'elle nous regarde avec
bonté comme faisait Mme de Guermantes et que nous
pensions qu'elle pourra nous appartenir. Ses yeux bleuis-
saient comme une pervenche impossible à cueillir et que
pourtant elle m'eût dédiée; et le soleil, menacé par un nuage
mais dardant encore de toute sa force sur la place et dans
la sacristie, donnait une carnation de géranium aux tapis
rouges qu'on y avait étendus par terre pour la solennité
et sur lesquels s'avançait en souriant Mme de Guermantes,
et ajoutait à leur lainage un velouté rose, un épiderme de
lumière (**14**), cette sorte de tendresse, de sérieuse doùceur
dans la pompe et dans la joie qui caractérisent certaines
pages de *Lohengrin*, certaines peintures de Carpaccio, et
qui font comprendre que Baudelaire ait pu appliquer au son
de la trompette l'épithète de délicieux[1]

[Après un développement consacré à l'un des premiers essais
littéraires du narrateur — une description de deux clochers dans la
campagne —, le récit s'arrête brusquement, et nous remontons
à quinze ans en arrière, à l'époque où M. Swann n'était pas encore
marié. Cet épisode porte un titre particulier : « Un amour de

---

1. Wagner a fait plus de place à la tendresse dans *Lohengrin* (1850) que dans
ses opéras ultérieurs. *Carpaccio* (1455-1525) a peint une série de tableaux qui
représentent la légende de sainte Ursule, et auxquels s'appliquent les termes
de Proust. Baudelaire a écrit dans *l'Imprévu* (v. 49 à 52) :

> Le son de la trompette est si délicieux
> Dans ces soirs solennels de célestes vendanges,
> Qu'il s'infiltre comme une extase dans tous ceux
> Dont elle chante les louanges. »

Swann. » Sur ses rapports avec ce qui précède et ce qui suit, cf. Notice, pp. 10 et 11.]

Pour faire partie du « petit noyau », du « petit groupe », du « petit clan » des Verdurin, une condition était suffisante mais elle était nécessaire : il fallait adhérer tacitement à un Credo dont un des articles était que le jeune pianiste, protégé par Mme Verdurin cette année-là et dont elle disait : « Ça ne devrait pas être permis de savoir jouer Wagner comme ça ! », « enfonçait » à la fois Planté[1] et Rubinstein[2] et que le docteur Cottard avait plus de diagnostic que Potain[3]. Toute « nouvelle recrue » à qui les Verdurin ne pouvaient pas persuader que les soirées des gens qui n'allaient pas chez eux étaient ennuyeuses comme la pluie, se voyait immédiatement exclue. Les femmes étant à cet égard plus rebelles que les hommes à déposer toute curiosité mondaine et l'envie de se renseigner par soi-même sur l'agrément des autres salons, et les Verdurin sentant d'autre part que cet esprit d'examen et ce démon de frivolité pouvait par contagion devenir fatal à l'orthodoxie de la petite église, ils avaient été amenés à rejeter successivement tous les « fidèles » du sexe féminin.

En dehors de la jeune femme du docteur, ils étaient réduits presque uniquement cette année-là (bien que Mme Verdurin fût elle-même vertueuse et d'une respectable famille bourgeoise, excessivement riche et entièrement obscure, avec laquelle elle avait peu à peu cessé volontairement toute relation) à une personne presque du demi-monde, Mme de Crécy, que Mme Verdurin appelait par son petit nom, Odette, et déclarait être « un amour », et à la tante du pianiste, laquelle devait avoir tiré le cordon; personnes ignorantes du monde et à la naïveté de qui il avait été si facile de faire accroire que la princesse de Sagan et la duchesse de Guermantes étaient obligées de payer des malheureux pour avoir du monde à leurs dîners, que si on leur avait offert de les faire inviter chez ces deux grandes dames, l'ancienne concierge et la cocotte eussent dédaigneusement refusé.

Les Verdurin n'invitaient pas à dîner : on avait chez eux

1. *Francis Planté* : illustre pianiste français (1839-1934), dont la carrière se situe surtout entre 1870 et 1900; 2. *Antoine Rubinstein* : pianiste russe (1829-1894), fondateur du Conservatoire de Saint-Pétersbourg, pianiste de la cour. Il fit à Paris plusieurs tournées triomphales; 3. *Pierre Potain* : professeur de pathologie interne et de chirurgie médicale, membre de l'Académie de médecine (1825-1901). Auteur de travaux célèbres sur le cœur et les poumons.

« son couvert mis ». Pour la soirée, il n'y avait pas de pro-
gramme. Le jeune pianiste jouait, mais seulement si « ça
lui chantait », car on ne forçait personne et comme disait
M. Verdurin : « Tout pour les amis, vivent les camarades! »
Si le pianiste voulait jouer la chevauchée de la *Walkyrie* ou
le prélude de *Tristan*[1], Mme Verdurin protestait, non que
cette musique lui déplût, mais au contraire parce qu'elle
lui causait trop d'impression. « Alors vous tenez à ce que j'aie
ma migraine? Vous savez bien que c'est la même chose
chaque fois qu'il joue ça. Je sais ce qui m'attend! Demain
quand je voudrai me lever, bonsoir, plus personne! » S'il
ne jouait pas, on causait, et l'un des amis, le plus souvent
leur peintre favori d'alors, « lâchait », comme disait M. Verdurin, « une grosse faribole qui faisait esclaffer tout le
monde », Mme Verdurin surtout, à qui, — tant elle avait
l'habitude de prendre au propre les expressions figurées des
émotions qu'elle éprouvait — le docteur Cottard (un jeune
débutant à cette époque) dut un jour remettre sa mâchoire
qu'elle avait décrochée pour avoir trop ri (**15**).

L'habit noir était défendu parce qu'on était entre « copains »
et pour ne pas ressembler aux « ennuyeux » dont on se
garait comme de la peste et qu'on n'invitait qu'aux grandes
soirées, données le plus rarement possible et seulement si
cela pouvait amuser le peintre ou faire connaître le musicien.
Le reste du temps, on se contentait de jouer des charades,
de souper en costumes, mais entre soi, en ne mêlant aucun
étranger au petit « noyau ».

Mais au fur et à mesure que les « camarades » avaient pris
plus de place dans la vie de Mme Verdurin, les ennuyeux,
les réprouvés, ce fut tout ce qui retenait les amis loin d'elle,
ce qui les empêchait quelquefois d'être libres, ce fut la mère
de l'un, la profession de l'autre, la maison de campagne ou
la mauvaise santé d'un troisième. Si le docteur Cottard
croyait devoir partir en sortant de table pour retourner
auprès d'un malade en danger : « Qui sait, lui disait Mme Verdurin, cela lui fera peut-être beaucoup plus de bien que vous
n'alliez pas le déranger ce soir; il passera une bonne nuit
sans vous; demain matin vous irez de bonne heure et vous

---

1. Nous apprendrons par la suite, a cause d'une allusion à la création du
Demi-Monde, de Dumas fils, que l'action se déroule dans ce chapitre en 1887.
A cette époque, la musique de Wagner n'était pas encore admise par le grand
public.

le trouverez guéri. » Dès le commencement de décembre, elle était malade à la pensée que les fidèles « lâcheraient » pour le jour de Noël et le 1er janvier. La tante du pianiste exigeait qu'il vînt dîner ce jour-là en famille chez sa mère à elle :

— Vous croyez qu'elle en mourrait, votre mère, s'écria durement Mme Verdurin, si vous ne dîniez pas avec elle le jour de l'an, comme en *province !*

Ses inquiétudes renaissaient à la semaine sainte :

— Vous, docteur, un savant, un esprit fort, vous venez naturellement le Vendredi saint comme un autre jour ? dit-elle à Cottard la première année, d'un ton assuré comme si elle ne pouvait douter de la réponse. Mais elle tremblait en attendant qu'il l'eût prononcée, car, s'il n'était venu, elle risquait de se trouver seule.

— Je viendrai le Vendredi saint... vous faire mes adieux, car nous allons passer les fêtes de Pâques en Auvergne.

— En Auvergne ? pour vous faire manger par les puces et la vermine, grand bien vous fasse !

Et, après un silence :

— Si vous nous l'aviez dit au moins, nous aurions tâché d'organiser cela et de faire le voyage ensemble dans des conditions confortables.

De même si un « fidèle » avait un ami, ou une « habituée » un flirt qui serait capable de le faire « lâcher » quelquefois, les Verdurin, qui ne s'effrayaient pas qu'une femme eût un amant pourvu qu'elle l'eût chez eux, l'aimât en eux et ne le leur préférât pas, disaient : « Eh bien ! amenez-le votre ami. » Et on l'engageait à l'essai, pour voir s'il était capable de ne pas avoir de secrets pour Mme Verdurin, s'il était susceptible d'être agrégé au « petit clan ». S'il ne l'était pas, on prenait à part le fidèle qui l'avait présenté et on lui rendait le service de le brouiller avec son ami ou avec sa maîtresse. Dans le cas contraire, le « nouveau » devenait à son tour un fidèle. Aussi quand cette année-là, la demi-mondaine raconta à M. Verdurin qu'elle avait fait la connaissance d'un homme charmant, M. Swann, et insinua qu'il serait très heureux d'être reçu chez eux, M. Verdurin transmit-il séance tenante la requête à sa femme. (Il n'avait jamais d'avis qu'après sa femme, dont son rôle particulier était de mettre à exécution les désirs, ainsi que les désirs des fidèles, avec de grandes ressources d'ingéniosité.)

— Voici Mme de Crécy qui a quelque chose à te demander.
Elle désirerait te présenter un de ses amis, M. Swann.
Qu'en dis-tu ?

— Mais voyons, est-ce qu'on peut refuser quelque chose
à une petite perfection comme ça ? Taisez-vous, on ne vous
demande pas votre avis, je vous dis que vous êtes une
perfection (16).

— Puisque vous le voulez, répondit Odette sur un ton de
marivaudage, et elle ajouta : vous savez que je ne suis pas
fishing for compliments[1].

— Eh bien ! amenez-le votre ami, s'il est agréable.

[Nous assistons, ensuite, aux débuts de Swann chez les Verdurin.]

Les Verdurin avaient eu à dîner, le jour où Swann y fit
ses débuts, le docteur et Mme Cottard, le jeune pianiste et
sa tante, et le peintre qui avait alors leur faveur, auxquels
s'étaient joints dans la soirée quelques autres fidèles.

Le docteur Cottard ne savait jamais d'une façon certaine
de quel ton il devait répondre à quelqu'un, si son interlocuteur voulait rire ou était sérieux. Et à tout hasard il ajoutait
à toutes ses expressions de physionomie l'offre d'un sourire
conditionnel et provisoire dont la finesse expectante le
disculperait du reproche de naïveté, si le propos qu'on lui
avait tenu se trouvait avoir été facétieux. Mais comme, pour
faire face à l'hypothèse opposée, il n'osait pas laisser ce sourire s'affirmer nettement sur son visage, on y voyait flotter
perpétuellement une incertitude où se lisait la question qu'il
n'osait pas poser : « Dites-vous cela pour de bon ? » Il n'était
pas plus assuré de la façon dont il devait se comporter dans
la rue, et même en général dans la vie, que dans un salon,
et on le voyait opposer aux passants, aux voitures, aux événements un malicieux sourire qui ôtait d'avance à son attitude toute impropriété, puisqu'il prouvait, si elle n'était pas
de mise, qu'il le savait bien et que s'il avait adopté celle-là,
c'était par plaisanterie.

Sur tous les points cependant où une franche question
lui semblait permise, le docteur ne se faisait pas faute de
s'efforcer de restreindre le champ de ses doutes et de compléter son instruction.

1. « Je ne vais pas à la pêche aux compliments. » Se dit d'une personne qui
affecte de se dénigrer pour que ses interlocuteurs protestent.

C'est ainsi que, sur les conseils qu'une mère prévoyante lui avait donnés quand il avait quitté sa province, il ne laissait jamais passer soit une locution ou un nom propre qui lui étaient inconnus, sans tâcher de se faire documenter sur eux.

Pour les locutions, il était insatiable de renseignements, car, leur supposant parfois un sens plus précis qu'elles n'ont, il eût désiré savoir ce qu'on voulait dire exactement par celles qu'il entendait le plus souvent employer : la beauté du diable, du sang bleu, une vie de bâtons de chaise, le quart d'heure de Rabelais, être le prince des élégances, donner carte blanche, être réduit à quia[1], etc., et dans quels cas déterminés il pouvait à son tour les faire figurer dans ses propos. A leur défaut il plaçait des jeux de mots qu'il avait appris. Quant aux noms de personnes nouveaux qu'on prononçait devant lui, il se contentait seulement de les répéter sur un ton interrogatif qu'il pensait suffisant pour lui valoir des explications qu'il n'aurait pas l'air de demander.

Comme le sens critique qu'il croyait exercer sur tout lui faisait complètement défaut, le raffinement de politesse qui consiste à affirmer à quelqu'un qu'on oblige, sans souhaiter d'en être cru, que c'est à lui qu'on a obligation, était peine perdue avec lui, il prenait tout au pied de la lettre. Quel que fût l'aveuglement de Mme Verdurin à son égard, elle avait fini, tout en continuant à le trouver très fin, par être agacée de voir que quand elle l'invitait dans une avant-scène à entendre Sarah Bernhardt[2], lui disant, pour plus de grâce : « Vous êtes trop aimable d'être venu, docteur, d'autant plus que je suis sûre que vous avez déjà souvent entendu Sarah Bernhardt, et puis nous sommes peut-être trop près de la scène », le docteur qui était entré dans la loge avec un sourire qui attendait pour se préciser ou pour disparaître que quelqu'un d'autorisé le renseignât sur la valeur du spectacle, lui répondait : « En effet, on est beaucoup trop près et on commence à être fatigué de Sarah Bernhardt. Mais vous m'avez exprimé le désir que je vienne. Pour moi vos désirs sont des ordres. Je suis trop heureux de vous rendre ce

---

1. *Le quart d'heure de Rabelais :* moment embarrassant, notamment celui où l'on doit payer son écot quand on n'a pas d'argent. Allusion à la pauvreté réelle ou supposée de Rabelais. *Être réduit à quia :* se trouver dans la situation de quelqu'un à qui on pose une question et qui répond « quia » (parce que) sans rien ajouter; 2. *Sarah Bernhardt* (1844-1923) était en 1887 au faîte de la gloire. Elle jouait à cette époque au théâtre de la Porte-Saint-Martin.

petit service. Que ne ferait-on pas pour vous être agréable, vous êtes si bonne! » Et il ajoutait : « Sarah Bernhardt, c'est bien la Voix d'Or, n'est-ce pas ? On écrit souvent aussi qu'elle brûle les planches. C'est une expression bizarre, n'est-ce pas ? » dans l'espoir de commentaires qui ne venaient point.

« Tu sais, avait dit Mme Verdurin à son mari, je crois que nous faisons fausse route quand par modestie nous déprécions ce que nous offrons au docteur. C'est un savant qui vit en dehors de l'existence pratique, il ne connaît pas par lui-même la valeur des choses et il s'en rapporte à ce que nous lui en disons. — Je n'avais pas osé te le dire, mais je l'avais remarqué », répondit M. Verdurin. Et au jour de l'an suivant, au lieu d'envoyer au docteur Cottard un rubis de trois mille francs en lui disant que c'était bien peu de chose, M. Verdurin acheta pour trois cents francs une pierre reconstituée en laissant entendre qu'on pouvait difficilement en voir d'aussi belle.

Quand Mme Verdurin avait annoncé qu'on aurait, dans la soirée, M. Swann : « Swann ? » s'était écrié le docteur d'un accent rendu brutal par la surprise, car la moindre nouvelle prenait toujours plus au dépourvu que quiconque cet homme qui se croyait perpétuellement préparé à tout. Et voyant qu'on ne lui répondait pas : « Swann ? Qui ça, Swann ! » hurla-t-il au comble d'une anxiété qui se détendit soudain quand Mme Verdurin eut dit : « Mais l'ami dont Odette nous avait parlé. — Ah! bon, bon, ça va bien », répondit le docteur apaisé. Quant au peintre, il se réjouissait de l'introduction de Swann chez Mme Verdurin, parce qu'il le supposait amoureux d'Odette et qu'il aimait à favoriser les liaisons. « Rien ne m'amuse comme de faire des mariages, confia-t-il dans l'oreille au docteur Cottard, j'en ai déjà réussi beaucoup [...] (**17**)! »

En disant aux Verdurin que Swann était très « smart », Odette leur avait fait craindre un « ennuyeux ». Il leur fit au contraire une excellente impression dont, à leur insu, sa fréquentation dans la société élégante était une des causes indirectes. Il avait, en effet, sur les hommes même intelligents qui ne sont jamais allés dans le monde une des supériorités de ceux qui y ont un peu vécu, qui est de ne plus le transfigurer par le désir ou par l'horreur qu'il inspire à l'imagination, de le considérer comme sans aucune importance. Leur amabilité, séparée de tout snobisme et de la peur de paraître trop aimable, devenue indépendante, a cette aisance, cette grâce des mouvements de ceux dont les membres assouplis exécutent exactement ce qu'ils veulent, sans participation indiscrète et maladroite du reste du corps. La simple gymnastique élémentaire de l'homme du monde tendant la main avec bonne grâce au jeune homme inconnu qu'on lui présente et s'inclinant avec réserve devant l'ambassadeur à qui on le présente, avait fini par passer, sans qu'il en fût conscient, dans toute l'attitude sociale de Swann qui, vis-à-vis de gens d'un milieu inférieur au sien comme étaient les Verdurin et leurs amis, fit instinctivement montre d'un empressement, se livra à des avances, dont selon eux un ennuyeux se fût abstenu. Il n'eut un moment de froideur qu'avec le docteur Cottard : en le voyant lui cligner de l'œil et lui sourire d'un air ambigu avant qu'ils se fussent encore parlé (mimique que Cottard appelait « laisser venir »), Swann crut que le docteur le connaissait sans doute pour s'être trouvé avec lui en quelque lieu de plaisir, bien que lui-même y allât pourtant fort peu, n'ayant jamais vécu dans le monde de la noce. Trouvant l'allusion de mauvais goût, surtout en présence d'Odette qui pourrait en prendre une mauvaise idée de lui, il affecta un air glacial. Mais quand il apprit qu'une dame qui se trouvait près de lui était Mme Cottard, il pensa qu'un mari aussi jeune n'aurait pas cherché à faire allusion devant sa femme à des divertissements de ce genre; et il cessa de donner à l'air entendu du docteur la signification qu'il redoutait. Le peintre invita tout de suite Swann à venir avec Odette à son atelier; Swann le trouva gentil. « Peut-être qu'on vous favorisera plus que moi, dit Mme Verdurin, sur un ton qui feignait d'être piqué, et qu'on vous montrera le portrait de Cottard (elle l'avait commandé au peintre). Pensez bien, « monsieur » Biche[1], rappela-t-elle au peintre, à qui c'était une plaisanterie consacrée de dire monsieur, à rendre le joli regard, le petit côté fin, amusant, de l'œil. Vous savez que ce que je veux surtout avoir, c'est son sourire; ce que je vous ai demandé, c'est le portrait de son sourire. » Et comme cette expression lui sembla remarquable, elle la répéta très haut pour être sûre

---

1. *Monsieur Biche,* l'artiste à tout faire des Verdurin, n'est autre que le grand peintre Elstir, qui réapparaîtra dans la suite du roman, transfiguré par le génie.

que plusieurs invités l'eussent entendue et, même, sous un
prétexte vague, en fit d'abord rapprocher quelques-uns.
Swann demanda à faire la connaissance de tout le monde,
même d'un vieil ami des Verdurin, Saniette, à qui sa timidité, sa simplicité et son bon cœur avaient fait perdre partout
la considération que lui avaient value sa science d'archiviste,
sa grosse fortune, et la famille distinguée dont il sortait. Il
avait dans la bouche, en parlant, une bouillie qui était ado-
rable parce qu'on sentait qu'elle trahissait moins un défaut
de la langue qu'une qualité de l'âme, comme un reste de
l'innocence du premier âge qu'il n'avait jamais perdue.
Toutes les consonnes qu'il ne pouvait prononcer figuraient
comme autant de duretés dont il était incapable. En deman-
dant à être présenté à M. Saniette, Swann fit à Mme Verdurin
l'effet de renverser les rôles (au point qu'en réponse, elle dit
en insistant sur la différence : « Monsieur Swann, voudriez-
vous avoir la bonté de me permettre de vous présenter notre
ami Saniette »), mais excita chez Saniette une sympathie
ardente que d'ailleurs les Verdurin ne révélèrent jamais à
Swann, car Saniette les agaçait un peu, et ils ne tenaient pas
à lui faire des amis. Mais, en revanche, Swann les toucha
infiniment en croyant devoir demander tout de suite à faire
la connaissance de la tante du pianiste. En robe noire comme
toujours, parce qu'elle croyait qu'en noir on est toujours
bien et que c'est ce qu'il y a de plus distingué, elle avait le
visage excessivement rouge comme chaque fois qu'elle
venait de manger. Elle s'inclina devant Swann avec respect,
mais se redressa avec majesté. Comme elle n'avait aucune
instruction et avait peur de faire des fautes de français, elle
prononçait exprès d'une manière confuse, pensant que, si elle
lâchait un cuir, il serait estompé d'un tel vague qu'on ne
pourrait le distinguer avec certitude, de sorte que sa conversation n'était qu'un graillonnement indistinct, duquel émer-
geaient de temps à autre les rares vocables dont elle se sentait
sûre. Swann crut pouvoir se moquer légèrement d'elle en
parlant à M. Verdurin, lequel au contraire fut piqué.

« C'est une si excellente femme, répondit-il. Je vous
accorde qu'elle n'est pas étourdissante; mais je vous assure
qu'elle est agréable quand on cause seul avec elle. — Je
n'en doute pas, s'empressa de concéder Swann. Je voulais
dire qu'elle ne me semblait pas « éminente », ajouta-t-il
en détachant cet adjectif, et, en somme, c'est plutôt un

compliment! — Tenez, dit M. Verdurin, je vais vous étonner, elle écrit d'une manière charmante. Vous n'avez jamais entendu son neveu? c'est admirable, n'est-ce pas, docteur? Voulez-vous que je lui demande de jouer quelque chose, monsieur Swann?

— Mais ce sera un bonheur... », commençait à répondre Swann, quand le docteur l'interrompit d'un air moqueur. En effet, ayant retenu que dans la conversation l'emphase, l'emploi de formes solennelles, était suranné, dès qu'il entendait un mot grave dit sérieusement comme venait de l'être le mot « bonheur », il croyait que celui qui l'avait prononcé venait de se montrer prudhommesque. Et si, de plus, ce mot se trouvait figurer par hasard dans ce qu'il appelait un vieux cliché, si courant que ce mot fût d'ailleurs, le docteur supposait que la phrase commencée était ridicule et la terminait ironiquement par le lieu commun qu'il semblait accuser son interlocuteur d'avoir voulu placer, alors que celui-ci n'y avait jamais pensé.

— Un bonheur pour la France! s'écria-t-il malicieusement en levant les bras avec emphase.

M. Verdurin ne put s'empêcher de rire.

— Qu'est-ce qu'ils ont à rire toutes ces bonnes gens-là, on a l'air de ne pas engendrer la mélancolie dans votre petit coin là-bas, s'écria Mᵐᵉ Verdurin. Si vous croyez que je m'amuse, moi, à rester toute seule en pénitence, ajouta-t-elle sur un ton dépité, en faisant l'enfant.

Mᵐᵉ Verdurin était assise sur un haut siège suédois en sapin ciré, qu'un violoniste de ce pays lui avait donné et qu'elle conservait, quoiqu'il rappelât la forme d'un escabeau et jurât avec les beaux meubles anciens qu'elle avait, mais elle tenait à garder en évidence les cadeaux que les fidèles avaient l'habitude de lui faire de temps en temps, afin que les donateurs eussent le plaisir de les reconnaître quand ils venaient. Aussi tâchait-elle de persuader qu'on s'en tînt aux fleurs et aux bonbons, qui du moins se détruisent; mais elle n'y réussissait pas et c'était chez elle une collection de chauffe-pieds, de coussins, de pendules, de paravents, de baromètres, de potiches, dans une accumulation de redites et un disparate d'étrennes.

De ce poste élevé elle participait avec entrain à la conversation des fidèles et s'égayait de leurs « fumisteries », mais depuis l'accident qui était arrivé à sa mâchoire, elle avait

renoncé à prendre la peine de pouffer effectivement et se
livrait à la place à une mimique conventionnelle qui signi-
fiait, sans fatigue ni risques pour elle, qu'elle riait aux larmes.
Au moindre mot que lâchait un habitué contre un ennuyeux
ou contre un ancien habitué rejeté au camp des ennuyeux
— et pour le plus grand désespoir de M. Verdurin qui avait
eu longtemps la prétention d'être aussi aimable que sa femme,
mais qui riant pour de bon s'essoufflait vite et avait été dis-
tancé et vaincu par cette ruse d'une incessante et fictive
hilarité — elle poussait un petit cri, fermait entièrement ses
yeux d'oiseau qu'une taie commençait à voiler et, brusquement, comme si elle n'eût eu que le temps de cacher un
spectacle indécent ou de parer à un accès mortel, plongeant
sa figure dans ses mains qui la recouvraient et n'en laissaient
plus rien voir, elle avait l'air de s'efforcer de réprimer,
d'anéantir un rire qui, si elle s'y fût abandonnée, l'eût
conduite à l'évanouissement. Telle, étourdie par la gaîté des
fidèles, ivre de camaraderie, de médisance et d'assentiment,
Mme Verdurin, juchée sur son perchoir, pareille à un oiseau
dont on eût trempé le colifichet dans du vin chaud, sanglotait
d'amabilité.

Cependant M. Verdurin, après avoir demandé à Swann
la permission d'allumer sa pipe (« ici on ne se gêne pas, on
est entre camarades »), priait le jeune artiste de se mettre
au piano.

— Allons, voyons, ne l'ennuie pas, il n'est pas ici pour
être tourmenté, s'écria Mme Verdurin, je ne veux pas qu'on
le tourmente, moi!

— Mais pourquoi veux-tu que ça l'ennuie? dit M. Verdurin, M. Swann ne connaît peut-être pas la sonate en *fa*
dièse que nous avons découverte; il va nous jouer l'arrange-
ment pour piano.

— Ah! non, non, pas ma sonate! cria Mme Verdurin, je
n'ai pas envie à force de pleurer de me ficher un rhume de
cerveau avec névralgies faciales, comme la dernière fois;
merci du cadeau, je ne tiens pas à recommencer; vous êtes
bons vous autres, on voit bien que ce n'est pas vous qui
garderez le lit huit jours (**18**)!

Cette petite scène qui se renouvelait chaque fois que le
pianiste allait jouer enchantait les amis aussi bien que si
elle avait été nouvelle, comme une preuve de la séduisante
originalité de la « Patronne » et de sa sensibilité musicale.

Ceux qui étaient près d'elle faisaient signe à ceux qui plus loin fumaient ou jouaient aux cartes, de se rapprocher, qu'il se passait quelque chose, leur disant comme on fait au Reichstag dans les moments intéressants : « Écoutez, écoutez[1]. » Et le lendemain on donnait des regrets à ceux qui n'avaient pas pu venir en leur disant que la scène avait été encore plus amusante que d'habitude.

— Eh bien! voyons, c'est entendu, dit M. Verdurin, il ne jouera que l'andante.

— Que l'andante, comme tu y vas! s'écria Mme Verdurin. C'est justement l'andante qui me casse bras et jambes. Il est vraiment superbe, le Patron! C'est comme si dans la *Neuvième* il disait : nous n'entendrons que le finale, ou dans *les Maîtres*[2] que l'ouverture.

Le docteur, cependant, poussait Mme Verdurin à laisser jouer le pianiste, non pas qu'il crût feints les troubles que la musique lui donnait — il y reconnaissait certains états neurasthéniques — mais par cette habitude qu'ont beaucoup de médecins de faire fléchir immédiatement la sévérité de leurs prescriptions dès qu'est en jeu, chose qui leur semble beaucoup plus importante, quelque réunion mondaine dont ils font partie et dont la personne à qui ils conseillent d'oublier pour une fois sa dyspepsie ou sa grippe, est un des facteurs essentiels.

— Vous ne serez pas malade cette fois-ci, vous verrez, dit-il en cherchant à la suggestionner du regard. Et si vous êtes malade, nous vous soignerons.

— Bien vrai? répondit Mme Verdurin, comme si devant l'espérance d'une telle faveur il n'y avait plus qu'à capituler. Peut-être aussi, à force de dire qu'elle serait malade, y avait-il des moments où elle ne se rappelait plus que c'était un mensonge et prenait une âme de malade. Or ceux-ci, fatigués d'être toujours obligés de faire dépendre de leur sagesse la rareté de leurs accès, aiment se laisser aller à croire qu'ils pourront faire impunément tout ce qui leur plaît et leur fait mal d'habitude, à condition de se remettre en les mains d'un être puissant, qui, sans qu'ils aient aucune peine à prendre, d'un mot ou d'une pilule, les remettra sur pied.

---

1. Cet usage, qui remplace dans certains parlements les applaudissements, s'est conservé à la Chambre des communes (« *Hear, hear* »); 2. *La Neuvième* : la symphonie avec chœur, de Beethoven. — *Les Maîtres* : *les Maîtres chanteurs* de Wagner

Odette était allée s'asseoir sur un canapé de tapisserie qui était près du piano :

— Vous savez, j'ai ma petite place, dit-elle à Mme Verdurin.

Celle-ci, voyant Swann sur une chaise, le fit lever :

— Vous n'êtes pas bien là, allez donc vous mettre à côté d'Odette, n'est-ce pas Odette, vous ferez bien une place à M. Swann ?

— Quel joli Beauvais, dit avant de s'asseoir Swann qui cherchait à être aimable.

— Ah ! je suis contente que vous appréciiez mon canapé, répondit Mme Verdurin. Et je vous préviens que si vous voulez en voir d'aussi beau, vous pouvez y renoncer tout de suite. Jamais ils n'ont rien fait de pareil. Les petites chaises aussi sont des merveilles. Tout à l'heure vous regarderez cela. Chaque bronze correspond comme attribut au petit sujet du siège ; vous savez, vous avez de quoi vous amuser si vous voulez regarder cela, je vous promets un bon moment. Rien que les petites frises des bordures, tenez, là, la petite vigne sur fond rouge de l'Ours et les Raisins[1]. Est-ce dessiné ? Qu'est-ce que vous en dites, je crois qu'ils le savaient plutôt, dessiner ! Est-elle assez appétissante cette vigne ? Mon mari prétend que je n'aime pas les fruits parce que j'en mange moins que lui. Mais non, je suis plus gourmande que vous tous, mais je n'ai pas besoin de me les mettre dans la bouche puisque je jouis par les yeux. Qu'est-ce que vous avez tous à rire ? Demandez au docteur, il vous dira que ces raisins-là me purgent. D'autres font des cures de Fontainebleau[2], moi je fais ma petite cure de Beauvais. Mais, monsieur Swann, vous ne partirez pas sans avoir touché les petits bronzes des dossiers. Est-ce assez doux comme patine ? Mais non, à pleines mains, touchez-les bien.

— Ah ! si madame Verdurin commence à peloter les bronzes, nous n'entendrons pas de musique ce soir, dit le peintre.

— Taisez-vous, vous êtes un vilain. Au fond, dit-elle

---

1. La manufacture de Beauvais avait été dirigée, de 1734 à 1755, par J.-B. Oudry (1686-1755), peintre animalier et célèbre illustrateur de La Fontaine. Il semblerait donc que cette scène, difficile à identifier, soit empruntée à La Fontaine. Mais aucune de ses fables ne porte ce titre. Toutefois, dans l'Ours et l'Amateur de jardins (VII, 10), l'amateur offre à l'ours, en s'excusant, « un champêtre repas » composé de fruits et de lait ; 2. De chasselas de Fontainebleau.

en se tournant vers Swann, on nous défend à nous autres femmes des choses moins voluptueuses que cela. Mais il n'y a pas une chair comparable à cela! Quand M. Verdurin me faisait l'honneur d'être jaloux de moi — allons, sois poli au moins, ne dis pas que tu ne l'as jamais été...

— Mais je ne dis absolument rien. Voyons, docteur, je vous prends à témoin : est-ce que j'ai dit quelque chose?

Swann palpait les bronzes par politesse et n'osait pas cesser tout de suite.

— Allons, vous les caresserez plus tard; maintenant c'est vous qu'on va caresser, qu'on va caresser dans l'oreille; vous aimez cela, je pense; voilà un petit jeune homme qui va s'en charger.

Or quand le pianiste eut joué, Swann fut plus aimable encore avec lui qu'avec les autres personnes qui se trouvaient là. Voici pourquoi :

L'année précédente, dans une soirée, il avait entendu une œuvre musicale exécutée au piano et au violon. D'abord, il n'avait goûté que la qualité matérielle des sons sécrétés par les instruments. Et ç'avait déjà été un grand plaisir quand, au-dessous de la petite ligne du violon mince, résistante, dense et directrice, il avait vu tout d'un coup chercher à s'élever en un clapotement liquide, la masse de la partie de piano, multiforme, indivise, plane et entrechoquée comme la mauve agitation des flots que charme' et bémolise le clair de lune. Mais à un moment donné, sans pouvoir nettement distinguer un contour, donner un nom à ce qui lui plaisait, charmé tout d'un coup, il avait cherché à recueillir la phrase ou l'harmonie — il ne savait lui-même — qui passait et qui lui avait ouvert plus largement l'âme, comme certaines odeurs de roses circulant dans l'air humide du soir ont la propriété de dilater nos narines. Peut-être est-ce parce qu'il ne savait pas la musique qu'il avait pu éprouver une impression aussi confuse, une de ces impressions qui sont peut-être pourtant les seules purement musicales, inétendues, entièrement originales, irréductibles à tout autre ordre d'impressions. Une impression de ce genre, pendant un instant, est pour ainsi dire *sine materia*. Sans doute les notes que nous entendons alors tendent déjà, selon leur hauteur et leur quantité, à couvrir devant nos yeux des surfaces de dimensions variées, à tracer des arabesques, à nous donner des sensations de largeur, de ténuité, de stabilité, de caprice. Mais les notes sont évanouies avant que ces sensations soient assez formées en nous pour ne pas être submergées par celles qu'éveillent déjà les notes suivantes ou même simultanées. Et cette impression continuerait à envelopper de sa liquidité et de son « fondu » les motifs qui par instants en émergent, à peine discernables, pour plonger aussitôt et disparaître, connus seulement par le plaisir particulier qu'ils donnent, impossibles à décrire, à se rappeler, à nommer, ineffables — si la mémoire, comme un ouvrier qui travaille à établir des fondations durables au milieu des flots, en fabriquant pour nous des fac-similés de ces phrases fugitives, ne nous permettait de les comparer à celles qui leur succèdent et de les différencier. Ainsi à peine la sensation délicieuse que Swann avait ressentie était-elle expirée, que sa mémoire lui en avait fourni séance tenante une transcription sommaire et provisoire, mais sur laquelle il avait jeté les yeux tandis que le morceau continuait, si bien que, quand la même impression était tout d'un coup revenue, elle n'était déjà plus insaisissable. Il s'en représentait l'étendue, les groupements symétriques, la graphie, la valeur expressive; il avait devant lui cette chose qui n'est plus de la musique pure, qui est du dessin, de l'architecture, de la pensée, et qui permet de se rappeler la musique. Cette fois il avait distingué nettement une phrase s'élevant pendant quelques instants au-dessus des ondes sonores. Elle lui avait proposé aussitôt des voluptés particulières, dont il n'avait jamais eu l'idée avant de l'entendre, dont il sentait que rien autre qu'elle ne pourrait les lui faire connaître, et il avait éprouvé pour elle comme un amour inconnu (**19**).

D'un rythme lent elle le dirigeait ici d'abord, puis là, puis ailleurs, vers un bonheur noble, inintelligible et précis. Et tout d'un coup, au point où elle était arrivée et d'où il se préparait à la suivre, après une pause d'un instant, brusquement elle changeait de direction, et d'un mouvement nouveau, plus rapide, menu, mélancolique, incessant et doux, elle l'entraînait avec elle vers des perspectives inconnues. Puis elle disparut. Il souhaita passionnément la revoir une troisième fois. Et elle reparut en effet, mais sans lui parler plus clairement, en lui causant même une volupté moins profonde. Mais rentré chez lui il eut besoin d'elle : il était comme un homme dans la vie de qui une passante qu'il a aperçue un moment vient de faire entrer l'image d'une beauté nouvelle qui donne à sa propre sensibilité une valeur plus grande, sans qu'il sache seulement s'il pourra revoir jamais celle qu'il aime déjà et dont il ignore jusqu'au nom.

Même cet amour pour une phrase musicale sembla un instant devoir amorcer chez Swann la possibilité d'une sorte de rajeunissement. Depuis si longtemps il avait renoncé à appliquer sa vie à un but idéal et la bornait à la poursuite de satisfactions quotidiennes, qu'il croyait, sans jamais se le dire formellement, que cela ne changerait plus jusqu'à sa mort; bien plus, ne se sentant plus d'idées élevées dans l'esprit, il avait cessé de croire à leur réalité, sans pouvoir non plus la nier tout à fait. Aussi avait-il pris l'habitude de se réfugier dans des pensées sans importance et qui lui permettaient de laisser de côté le fond des choses. De même qu'il ne se demandait pas s'il n'eût pas mieux fait de ne pas aller dans le monde, mais en revanche savait avec certitude que, s'il avait accepté une invitation, il devait s'y rendre et que, s'il ne faisait pas de visite après, il lui fallait laisser des cartes, de même dans sa conversation il s'efforçait de ne jamais exprimer avec cœur une opinion intime sur les choses, mais de fournir des détails matériels qui valaient en quelque sorte par eux-mêmes et lui permettaient de ne pas donner sa mesure. Il était extrêmement précis pour une recette de cuisine, pour la date de la naissance ou de la mort d'un peintre, pour la nomenclature de ses œuvres. Parfois, malgré tout, il se laissait aller à émettre un jugement sur une œuvre, sur une manière de comprendre la vie, mais il donnait alors à ses paroles un ton ironique comme s'il n'adhérait pas tout entier à ce qu'il disait. Or, comme certains valétudinaires chez qui, tout d'un coup, un pays où ils sont arrivés, un régime différent, quelquefois une évolution organique, spontanée et mystérieuse, semblent amener une telle régression de leur mal qu'ils commencent à envisager la possibilité inespérée de commencer sur le tard une vie toute différente, Swann trouvait en lui, dans le souvenir de la phrase qu'il avait entendue, dans certaines sonates qu'il s'était fait jouer, pour voir s'il ne l'y découvrirait pas, la présence d'une de ces réalités invisibles auxquelles il avait cessé de croire et auxquelles, comme si la musique avait eu sur la sécheresse morale dont il souffrait une sorte d'influence élective, il se sentait de nouveau le désir et presque la force de consacrer sa vie. Mais n'étant pas arrivé à savoir de qui était l'œuvre

qu'il avait entendue, il n'avait pu se la procurer et avait
fini par l'oublier. Il avait bien rencontré dans la semaine
quelques personnes qui se trouvaient comme lui à cette
soirée et les avait interrogées ; mais plusieurs étaient arrivées
après la musique ou parties avant ; certaines pourtant étaient
là pendant qu'on l'exécutait, mais étaient allées causer dans
un autre salon, et d'autres, restées à écouter, n'avaient pas
entendu plus que les premières. Quant aux maîtres de
maison, ils savaient que c'était une œuvre nouvelle que les
artistes qu'ils avaient engagés avaient demandé à jouer ;
ceux-ci étant partis en tournée, Swann ne put pas en savoir
davantage. Il avait bien des amis musiciens, mais tout en
se rappelant le plaisir spécial et intraduisible que lui avait
fait la phrase, en voyant devant ses yeux les formes qu'elle
dessinait, il était pourtant incapable de la leur chanter.
Puis il cessa d'y penser (**20**).

Or, quelques minutes à peine après que le petit pianiste
avait commencé de jouer chez Mme Verdurin, tout d'un
coup, après une note haute longuement tenue pendant deux
mesures, il vit approcher, s'échappant de sous cette sonorité
prolongée et tendue comme un rideau sonore pour cacher
le mystère de son incubation, il reconnut, secrète, bruissante
et divisée, la phrase aérienne et odorante qu'il aimait. Et
elle était si particulière, elle avait un charme si individuel
et qu'aucun autre n'aurait pu remplacer, que ce fut pour
Swann comme s'il eût rencontré dans un salon ami une
personne qu'il avait admirée dans la rue et désespérait de
jamais retrouver. A la fin, elle s'éloigna, indicatrice, dili-
gente, parmi les ramifications de son parfum, laissant sur
le visage de Swann le reflet de son sourire. Mais maintenant
il pouvait demander le nom de son inconnue (on lui dit que
c'était l'andante de la *Sonate pour piano et violon* de Vinteuil[1]), il la tenait, il pourrait l'avoir chez lui aussi souvent
qu'il voudrait, essayer d'apprendre son langage et son secret.

Aussi quand le pianiste eut fini, Swann s'approcha-t-il
de lui pour lui exprimer une reconnaissance dont la vivacité
plut beaucoup à Mme Verdurin.

— Quel charmeur, n'est-ce pas, dit-elle à Swann ; la
comprend-il assez, sa sonate, le petit misérable ? Vous ne

---

1. Ce musicien, qui habite Combray, n'apparaît pas ici pour la première fois.
Quant à la sonate, pour laquelle on a cherché des « clés » très variées, c'est,
semble-t-il, d'après un passage de *Jean Santeuil*, une sonate de Saint-Saëns.

saviez pas que le piano pouvait atteindre à ça. C'est tout, excepté du piano, ma parole! Chaque fois j'y suis reprise, je crois entendre un orchestre. C'est même plus beau que l'orchestre, plus complet.

Le jeune pianiste s'inclina, et, souriant, soulignant les mots comme s'il avait fait un trait d'esprit :

— Vous êtes très indulgente pour moi, dit-il.

Et tandis que Mme Verdurin disait à son mari : « Allons, donne-lui de l'orangeade, il l'a bien mérité », Swann racontait à Odette comment il avait été amoureux de cette petite phrase. Quand Mme Verdurin, ayant dit d'un peu loin : « Eh bien! il me semble qu'on est en train de vous dire de belles choses, Odette », elle répondit : « Oui, de très belles » et Swann trouva délicieuse sa simplicité. Cependant il demandait des renseignements sur Vinteuil, sur son œuvre, sur l'époque de sa vie où il avait composé cette sonate, sur ce qu'avait pu signifier pour lui la petite phrase, c'est cela surtout qu'il aurait voulu savoir.

Mais tous ces gens qui faisaient profession d'admirer ce musicien (quand Swann avait dit que sa sonate était vraiment belle, Mme Verdurin s'était écriée : « Je vous crois un peu qu'elle est belle! Mais on n'avoue pas qu'on ne connaît pas la sonate de Vinteuil, on n'a pas le droit de ne pas la connaître », et le peintre avait ajouté : « Ah! c'est tout à fait une très grande machine, n'est-ce pas? Ce n'est pas, si vous voulez, la chose « cher » et « public », n'est-ce pas? mais c'est la très grosse impression pour les artistes »), ces gens semblaient ne s'être jamais posé ces questions, car ils furent incapables d'y répondre.

Même à une ou deux remarques particulières que fit Swann sur sa phrase préférée :

— Tiens, c'est amusant, je n'avais jamais fait attention; je vous dirai que je n'aime pas beaucoup chercher la petite bête et m'égarer dans des pointes d'aiguilles; on ne perd pas son temps à couper les cheveux en quatre ici, ce n'est pas le genre de la maison, répondit Mme Verdurin que le docteur Cottard regardait avec une admiration béate et un zèle studieux se jouer au milieu de ce flot d'expressions toutes faites. D'ailleurs lui et Mme Cottard, avec une sorte de bons sens comme en ont aussi certaines gens du peuple, se gardaient bien de donner une opinion ou de feindre l'admiration pour une musique qu'ils s'avouaient l'un à l'autre, une fois rentrés chez eux, ne pas plus comprendre que la peinture de « M. Biche ». Comme le public ne connaît du charme, de la grâce, des formes de la nature que ce qu'il en a puisé dans les poncifs d'un art lentement assimilé, et qu'un artiste original commence par rejeter ces poncifs, M. et Mme Cottard, image en cela du public, ne trouvaient ni dans la sonate de Vinteuil, ni dans les portraits du peintre, ce qui faisait pour eux l'harmonie de la musique et la beauté de la peinture. Il leur semblait quand le pianiste jouait la sonate qu'il accrochait au hasard sur le piano des notes que ne reliaient pas en effet les formes auxquelles ils étaient habitués, et que le peintre jetait au hasard des couleurs sur ses toiles. Quand dans celles-ci ils pouvaient reconnaître une forme, ils la trouvaient alourdie et vulgarisée (c'est-à-dire dépourvue de l'élégance de l'école de peinture à travers laquelle ils voyaient dans la rue même les êtres vivants), et sans vérité, comme si M. Biche n'eût pas su comment était construite une épaule et que les femmes n'ont pas les cheveux mauves.

Pourtant les fidèles s'étant dispersés, le docteur sentit qu'il y avait là une occasion propice et, pendant que Mme Verdurin disait un dernier mot sur la sonate de Vinteuil, comme un nageur débutant qui se jette à l'eau pour apprendre, mais choisit un moment où il n'y a pas trop de monde pour le voir :

— Alors, c'est ce qu'on appelle un musicien *di primo cartello*[1] ! s'écria-t-il avec une brusque résolution.

Swann apprit seulement que l'apparition récente de la sonate de Vinteuil avait produit une grande impression dans une école de tendances très avancées, mais était entièrement inconnue du grand public (**21**).

[Swann et Odette s'aiment. Swann, de tempérament jaloux, surveille étroitement Odette. D'autre part, il se plaît de moins en moins chez les Verdurin et ne réussit pas à le leur cacher. Ceux-ci le tiennent désormais à l'écart, alors qu'ils accaparent Odette. Swann, torturé, mais lucide, se demande s'il aime réellement Odette.]

D'autres fois, il lui disait que ce qui plus que tout ferait qu'il cesserait de l'aimer, c'est qu'elle ne voulût pas renoncer

---

1. Locution empruntée à l'italien, maintenant vieillie, désignant des musiciens et des chanteurs au talent incomparable.

à mentir. « Même au simple point de vue de la coquetterie, lui disait-il, ne comprends-tu donc pas combien tu perds de ta séduction en t'abaissant à mentir ? Par un aveu, combien de fautes tu pourrais racheter ! Vraiment tu es bien moins intelligente que je ne croyais ! » Mais c'est en vain que Swann lui exposait ainsi toutes les raisons qu'elle avait de ne pas mentir ; elles auraient pu ruiner chez Odette un système général du mensonge ; mais Odette n'en possédait pas ; elle se contentait seulement, dans chaque cas où elle voulait que Swann ignorât quelque chose qu'elle avait fait, de ne pas le lui dire. Ainsi le mensonge était pour elle un expédient d'ordre particulier ; et ce qui seul pouvait décider si elle devait s'en servir ou avouer la vérité, c'était une raison d'ordre particulier aussi, la chance plus ou moins grande qu'il y avait pour que Swann pût découvrir qu'elle n'avait pas dit la vérité.

Physiquement, elle traversait une mauvaise phase : elle épaississait ; et le charme expressif et dolent, les regards étonnés et rêveurs qu'elle avait autrefois semblaient avoir disparu avec sa première jeunesse. De sorte qu'elle était devenue si chère à Swann au moment pour ainsi dire où il la trouvait précisément bien moins jolie. Il la regardait longuement pour tâcher de ressaisir le charme qu'il lui avait connu, et ne le retrouvait pas. Mais savoir que sous cette chrysalide nouvelle, c'était toujours Odette qui vivait, toujours la même volonté fugace, insaisissable et sournoise, suffisait à Swann pour qu'il continuât de mettre la même passion à chercher à la capter. Puis il regardait des photographies d'il y avait deux ans, il se rappelait comme elle avait été délicieuse. Et cela le consolait un peu de se donner tant de mal pour elle (**22**).

Quand les Verdurin l'emmenaient à Saint-Germain, à Chatou, à Meulan[1], souvent, si c'était dans la belle saison, ils proposaient, sur place, de rester à coucher et de ne revenir que le lendemain. Mme Verdurin cherchait à apaiser les scrupules du pianiste dont la tante était restée à Paris.

— Elle sera enchantée d'être débarrassée de vous pour un jour. Et comment s'inquiéterait-elle, elle vous sait avec nous ; d'ailleurs je prends tout sous mon bonnet.

Mais si elle n'y réussissait pas, M. Verdurin partait en

---

1. La région du canotage à l'époque de Maupassant et des impressionnistes. Un peu trop fréquentée pour tenter les raffinés.

campagne, trouvait un bureau de télégraphe ou un messager et s'informait de ceux des fidèles qui avaient quelqu'un à faire prévenir. Mais Odette le remerciait et disait qu'elle n'avait de dépêche à faire pour personne, car elle avait dit à Swann une fois pour toutes qu'en lui en envoyant une aux yeux de tous, elle se compromettrait. Parfois c'était pour plusieurs jours qu'elle s'absentait, les Verdurin l'emmenaient voir les tombeaux de Dreux[1], ou à Compiègne[2] admirer, sur le conseil du peintre, des couchers de soleil en forêt, et on poussait jusqu'au château de Pierrefonds[3].

— Penser qu'elle pourrait visiter de vrais monuments avec moi qui ai étudié l'architecture pendant dix ans et qui suis tout le temps supplié de mener à Beauvais[4] ou à Saint-Loup-de-Naud[5] des gens de la plus haute valeur et ne le ferais que pour elle, et qu'à la place elle va avec les dernières des brutes s'extasier successivement devant les déjections de Louis-Philippe et devant celles de Viollet-le-Duc! Il me semble qu'il n'y a pas besoin d'être artiste pour cela et que, même sans flair particulièrement fin, on ne choisit pas d'aller villégiaturer dans des latrines pour être plus à portée de respirer des excréments.

Mais quand elle était partie pour Dreux ou pour Pierrefonds — hélas, sans lui permettre d'y aller, comme par hasard, de son côté, car « cela ferait un effet déplorable », disait-elle — il se plongeait dans le plus enivrant des romans d'amour, l'indicateur des chemins de fer, qui lui apprenait les moyens de la rejoindre, l'après-midi, le soir, ce matin même! Le moyen? presque davantage : l'autorisation. Car enfin l'indicateur et les trains eux-mêmes n'étaient pas faits pour des chiens. Si on faisait savoir au public, par voie d'imprimés, qu'à huit heures du matin partait un train qui arrivait à Pierrefonds à dix heures, c'est donc qu'aller à Pierrefonds était un acte licite, pour lequel la permission d'Odette était superflue; et c'était aussi un acte qui pouvait avoir un tout autre motif que le désir de rencontrer Odette, puisque des gens qui ne la connaissaient pas

1. Louis-Philippe a fait édifier à *Dreux* une chapelle mortuaire très pompeuse, en style néo-gothique, pour abriter les tombeaux de ses proches; 2. Le château de *Compiègne* est de Gabriel et date du XVIIIe siècle; 3. Le château de *Pierrefonds*, château fort médiéval, est dû presque entièrement à Viollet-le-Duc; 4. La cathédrale de *Beauvais*, considérée comme un vrai chef-d'œuvre de l'art, en comparaison du faux gothique de la chapelle de Dreux; 5. *Saint-Loup-de-Naud*, en Seine-et-Marne, possède une remarquable église paroissiale de style roman.

l'accomplissaient chaque jour, en assez grand nombre pour que cela valût la peine de faire chauffer des locomotives.

En somme elle ne pouvait tout de même pas l'empêcher d'aller à Pierrefonds s'il en avait envie! Or, justement, il sentait qu'il en avait envie et que, s'il n'avait pas connu Odette, certainement il y serait allé. Il y avait longtemps qu'il voulait se faire une idée précise des travaux de restauration de Viollet-le-Duc. Et par le temps qu'il faisait, il éprouvait l'impérieux désir d'une promenade dans la forêt de Compiègne.

Ce n'était vraiment pas de chance qu'elle lui défendît le seul endroit qui le tentait aujourd'hui. Aujourd'hui! S'il y allait, malgré son interdiction, il pourrait la voir *aujourd'hui* même! Mais, alors que, si elle eût retrouvé à Pierrefonds quelque indifférent, elle lui eût dit joyeusement : « Tiens, vous ici! », et lui aurait demandé d'aller la voir à l'hôtel où elle était descendue avec les Verdurin, au contraire si elle l'y rencontrait, lui, Swann, elle serait froissée, elle se dirait qu'elle était suivie, elle l'aimerait moins, peut-être se détournerait-elle avec colère en l'apercevant. « Alors, je n'ai plus le droit de voyager! » lui dirait-elle au retour, tandis qu'en somme c'était lui qui n'avait plus le droit de voyager!

Il avait eu un moment l'idée, pour pouvoir aller à Compiègne et à Pierrefonds sans avoir l'air que ce fût pour rencontrer Odette, de s'y faire emmener par un de ses amis, le marquis de Forestelle, qui avait un château dans le voisinage. Celui-ci, à qui il avait fait part de son projet sans lui en dire le motif, ne se sentait pas de joie et s'émerveillait que Swann, pour la première fois depuis quinze ans, consentît enfin à venir voir sa propriété et, puisqu'il ne voulait pas s'y arrêter, lui avait-il dit, lui promît du moins de faire ensemble des promenades et des excursions pendant plusieurs jours. Swann s'imaginait déjà là-bas avec M. de Forestelle. Même avant d'y voir Odette, même s'il ne réussissait pas à l'y voir, quel bonheur il aurait à mettre le pied sur cette terre où ne sachant pas l'endroit exact, à tel moment, de sa présence, il sentirait palpiter partout la possibilité de sa brusque apparition dans la cour du château, devenu beau pour lui parce que c'était à cause d'elle qu'il était allé le voir; dans toutes les rues de la ville, qui lui semblait romanesque; sur chaque route de la forêt, rosée par un couchant profond et tendre; — asiles innombrables et

Le château
de Pierrefonds
reconstitué
par Viollet-le-Duc.

Phot. N. D.

alternatifs, où venait simultanément se réfugier, dans l'incertaine ubiquité de ses espérances, son cœur heureux, vagabond et multiplié. « Surtout, dirait-il à M. de Forestelle, prenons garde de ne pas tomber sur Odette et les Verdurin; je viens d'apprendre qu'ils sont justement aujourd'hui à Pierrefonds. On a assez le temps de se voir à Paris, ce ne serait pas la peine de le quitter pour ne pas pouvoir faire un pas les uns sans les autres. » Et son ami ne comprendrait pas pourquoi une fois là-bas il changerait vingt fois de projets, inspecterait les salles à manger de tous les hôtels de Compiègne sans se décider à s'asseoir dans aucune de celles où pourtant on n'avait pas vu trace de Verdurin, ayant l'air de rechercher ce qu'il disait vouloir fuir et du reste le fuyant dès qu'il l'aurait trouvé, car s'il avait rencontré le petit groupe, il s'en serait écarté avec affectation, content d'avoir vu Odette et qu'elle l'eût vu, surtout qu'elle l'eût vu ne se souciant pas d'elle. Mais non, elle devinerait bien que c'était pour elle qu'il était là. Et quand M. de Forestelle venait le chercher pour partir, il lui disait : « Hélas! non, je ne peux pas aller aujourd'hui à Pierrefonds, Odette y est justement. » Et Swann était heureux malgré tout de sentir que, si seul de tous les mortels il n'avait pas le droit en ce jour d'aller à Pierrefonds, c'était parce qu'il était en effet pour Odette quelqu'un de différent des autres, son amant, et que cette restriction apportée pour lui au droit universel de libre circulation, n'était qu'une des formes de cet esclavage, de cet amour qui lui était si cher. Décidément il valait mieux ne pas risquer de se brouiller avec elle, patienter, attendre son retour. Il passait ses journées penché sur une carte de la forêt de Compiègne comme si ç'avait été la carte du Tendre, s'entourait de photographies du château de Pierrefonds. Dès que venait le jour où il était possible qu'elle revînt, il rouvrait l'indicateur, calculait quel train elle avait dû prendre et, si elle s'était attardée, ceux qui lui restaient encore. Il ne sortait pas de peur de manquer une dépêche, ne se couchait pas pour le cas où, revenue par le dernier train, elle aurait voulu lui faire la surprise de venir le voir au milieu de la nuit. Justement il entendait sonner à la porte cochère, il lui semblait qu'on tardait à ouvrir, il voulait éveiller le concierge, se mettait à la fenêtre pour appeler Odette si c'était elle, car malgré les recommandations qu'il était descendu faire plus de dix fois lui-même, on était capable de lui dire qu'il n'était pas là. C'était un domestique qui rentrait. Il remarquait le vol incessant des voitures qui passaient, auquel il n'avait jamais fait attention autrefois. Il écoutait chacune venir au loin, s'approcher, dépasser sa porte sans s'être arrêtée et porter plus loin un message qui n'était pas pour lui. Il attendait toute la nuit, bien inutilement, car les Verdurin ayant avancé leur retour, Odette était à Paris depuis midi; elle n'avait pas eu l'idée de l'en prévenir; ne sachant que faire, elle avait été passer sa soirée seule au théâtre et il y avait longtemps qu'elle était rentrée se coucher et dormait (**23**).

C'est qu'elle n'avait même pas pensé à lui. Et de tels moments où elle oubliait jusqu'à l'existence de Swann, étaient plus utiles à Odette, servaient mieux à lui attacher Swann, que toute sa coquetterie. Car ainsi Swann vivait dans cette agitation douloureuse qui avait déjà été assez puissante pour faire éclore son amour, le soir où il n'avait pas trouvé Odette chez les Verdurin et l'avait cherchée toute la soirée. Et il n'avait pas, comme j'eus à Combray dans mon enfance, des journées heureuses pendant lesquelles s'oublient les souffrances qui renaîtront le soir. Les journées, Swann les passait sans Odette; et par moments il se disait que laisser une aussi jolie femme sortir ainsi seule dans Paris était aussi imprudent que de poser un écrin plein de bijoux au milieu de la rue. Alors il s'indignait contre tous les passants comme contre autant de voleurs. Mais leur visage collectif et informe échappant à son imagination ne nourrissait pas sa jalousie. Il fatiguait la pensée de Swann, lequel, se passant la main sur les yeux, s'écriait : « A la grâce de Dieu », comme ceux qui après s'être acharnés à étreindre le problème de la réalité du monde extérieur ou de l'immortalité de l'âme, accordent la détente d'un acte de foi à leur cerveau lassé. Mais toujours la pensée de l'absente était indissolublement mêlée aux actes les plus simples de la vie de Swann — déjeuner, recevoir son courrier, sortir, se coucher — par la tristesse même qu'il avait à les accomplir sans elle, comme ces initiales de Philibert le Beau que dans l'église de Brou, à cause du regret qu'elle avait de lui, Marguerite d'Autriche[1] entrelaça partout aux siennes. Cer-

---

1. L'église de *Brou*, près de Bourg-en-Bresse, fut édifiée sur l'ordre de Marguerite d'Autriche (1480-1530), en l'honneur de son mari Philibert de Savoie, dit le Beau, mort de maladie après trois ans de mariage

tains jours, au lieu de rester chez lui, il allait prendre son
déjeuner dans un restaurant assez voisin dont il avait apprécié
autrefois la bonne cuisine et où maintenant il n'allait plus
que pour une de ces raisons, à la fois mystiques et saugrenues,
qu'on appelle romanesques; c'est que ce restaurant (lequel
existe encore) portait le même nom que la rue habitée par
Odette : *Lapérouse*[1]. Quelquefois, quand elle avait fait un
court déplacement, ce n'est qu'après plusieurs jours qu'elle
songeait à lui faire savoir qu'elle était revenue à Paris. Et
elle lui disait tout simplement, sans plus prendre comme
autrefois la précaution de se couvrir à tout hasard d'un petit
morceau emprunté à la vérité, qu'elle venait d'y rentrer à
l'instant même par le train du matin. Ces paroles étaient
mensongères; du moins pour Odette elles étaient mensongères, inconsistantes, n'ayant pas, comme si elles avaient
été vraies, un point d'appui dans le souvenir de son arrivée
à la gare; même elle était empêchée de se les représenter
au moment où elle les prononçait, par l'image contradictoire de ce qu'elle avait fait de tout différent au moment où
elle prétendait être descendue du train. Mais dans l'esprit
de Swann, au contraire, ces paroles qui ne rencontraient
aucun obstacle venaient s'incruster et prendre l'inamovibilité
d'une vérité si indubitable que, si un ami lui disait être
venu par ce train et ne pas avoir vu Odette, il était persuadé
que c'était l'ami qui se trompait de jour ou d'heure, puisque
son dire ne se conciliait pas avec les paroles d'Odette.
Celles-ci ne lui eussent paru mensongères que s'il s'était
d'abord défié qu'elles le fussent. Pour qu'il crût qu'elle
mentait, un soupçon était une condition nécessaire. C'était
d'ailleurs aussi une condition suffisante. Alors tout ce que
disait Odette lui paraissait suspect. L'entendait-il citer un
nom, c'était certainement celui d'un de ses amants; une fois
cette supposition forgée, il passait des semaines à se désoler;
il s'aboucha même une fois avec une agence de renseignements pour savoir l'adresse, l'emploi du temps de l'inconnu
qui ne le laisserait respirer que quand il serait parti en
voyage, et dont il finit par apprendre que c'était un oncle
d'Odette mort depuis vingt ans (**24**).

[Swann retourne dans les salons de l'aristocratie, qu'il avait

---

1. Le restaurant existe toujours en 1955, 51, quai des Grands-Augustins.
Le nom s'écrit en un seul mot, et l'homonymie avec le navigateur est fortuite.
La rue La Pérouse se trouve dans le quartier de l'Étoile.

un peu négligés auparavant pour se consacrer a Odette et aux
Verdurin. Une soirée chez la marquise de Saint-Euverte.]

Dès sa descente de voiture, au premier plan de ce résumé
fictif de leur vie domestique que les maîtresses de maison
prétendent offrir à leurs invités les jours de cérémonie et
où elles cherchent à respecter la vérité du costume et celle
du décor, Swann prit plaisir à voir les héritiers des « tigres »
de Balzac[1], les grooms, suivants ordinaires de la promenade,
qui, chapeautés et bottés, restaient dehors devant l'hôtel sur
le sol de l'avenue, ou devant les écuries, comme des jardiniers auraient été rangés à l'entrée de leurs parterres. La
disposition particulière qu'il avait toujours eue à chercher des
analogies entre les êtres vivants et les portraits des musées,
s'exerçait encore mais d'une façon plus constante et plus
générale ; c'est la vie mondaine tout entière, maintenant qu'il
en était détaché, qui se présentait à lui comme une suite
de tableaux. Dans le vestibule où autrefois, quand il était
un mondain, il entrait enveloppé dans son pardessus pour
en sortir en frac, mais sans savoir ce qui s'y était passé, étant
par la pensée, pendant les quelques instants qu'il y séjour-
nait, ou bien encore dans la fête qu'il venait de quitter, ou
bien déjà dans la fête où on allait l'introduire, pour la première fois il remarqua, réveillée par l'arrivée inopinée d'un
invité aussi tardif, la meute éparse, magnifique et désœuvrée
des grands valets de pied qui dormaient çà et là sur des
banquettes et des coffres et qui, soulevant leurs nobles
profils aigus de lévriers, se dressèrent et, rassemblés, for-
mèrent le cercle autour de lui.

L'un d'eux, d'aspect particulièrement féroce et assez
semblable à l'exécuteur dans certains tableaux de la Renaissance qui figurent des supplices, s'avança vers lui d'un air
implacable pour lui prendre ses affaires. Mais la dureté de
son regard d'acier était compensée par la douceur de ses
gants de fil, si bien qu'en approchant de Swann il semblait
témoigner du mépris pour sa personne et des égards pour
son chapeau. Il le prit avec un soin auquel l'exactitude de sa
pointure donnait quelque chose de méticuleux et une délicatesse que rendait presque touchante l'appareil de sa
force. Puis il le passa à un de ses aides, nouveau et timide,

1. On appelait « tigre », sous la Restauration, un groom très jeune et très petit
qui se tenait en équilibre sur le ressort arrière des voitures et venait ouvrir
les portières.

qui exprimait l'effroi qu'il ressentait en roulant en tous sens des regards furieux et montrait l'agitation d'une bête captive dans les premières heures de sa domesticité.

A quelques pas, un grand gaillard en livrée rêvait, immobile, sculptural, inutile, comme ce guerrier purement décoratif qu'on voit dans les tableaux les plus tumultueux de Mantegna, songer, appuyé sur son bouclier, tandis qu'on se précipite et qu'on s'égorge à côté de lui; détaché du groupe de ses camarades qui s'empressaient autour de Swann, il semblait aussi résolu à se désintéresser de cette scène, qu'il suivait vaguement de ses yeux glauques et cruels, que si c'eût été le massacre des Innocents ou le martyre de saint Jacques. Il semblait précisément appartenir à cette race disparue — ou qui peut-être n'exista jamais que dans le retable de San Zeno et les fresques des Eremitani où Swann l'avait approchée et où elle rêve encore — issue de la fécondation d'une statue antique par quelque modèle padouan du Maître ou quelque saxon d'Albert Dürer[1]. Et les mèches de ses cheveux roux crespelés par la nature, mais collés par la brillantine, étaient largement traitées comme elles sont dans la sculpture grecque qu'étudiait sans cesse le peintre de Mantoue[2], et qui, si dans la création elle ne figure que l'homme, sait du moins tirer de ses simples formes des richesses si variées et comme empruntées à toute la nature vivante, qu'une chevelure, par l'enroulement lisse et les becs aigus de ses boucles, ou dans la superposition du triple et fleurissant diadème de ses tresses, a l'air à la fois d'un paquet d'algues, d'une nichée de colombes, d'un bandeau de jacinthes et d'une torsade de serpents.

D'autres encore, colossaux aussi, se tenaient sur les degrés d'un escalier monumental que leur présence décorative et leur immobilité marmoréenne auraient pu faire nommer comme celui du Palais Ducal[3] : « l'Escalier des Géants (**25**) » et dans lequel Swann s'engagea avec la tristesse de penser qu'Odette ne l'avait jamais gravi. [...] Parvenu en haut de l'escalier le long duquel l'avait suivi un domestique à face

---

1. Les œuvres principales du peintre *Mantegna* (1431-1506) sont les fresques de l'église des Eremitani, à Padoue, aujourd'hui en partie ruinées, qui représentent l'histoire de saint Jacques et de saint Christophe, et le retable exécuté pour l'église Saint-Zénon. — *Albert Dürer* (1471-1528) a précisément été l'élève de Mantegna; 2. Mantegna signifie « originaire de Mantoue »; 3. Le palais des Doges de Venise, dont l'escalier monumental, dit « escalier des Géants », comporte deux statues colossales de Mars et de Neptune exécutées en 1554 par Sansovino.

blême, avec une petite queue de cheveux noués d'un catogan
derrière la tête, comme un sacristain de Goya ou un tabellion
du répertoire, Swann passa devant un bureau où des valets,
assis comme des notaires devant de grands registres, se
levèrent et inscrivirent son nom. Il traversa alors un petit
vestibule qui — tel que certaines pièces aménagées par leur
propriétaire pour servir de cadre à une seule œuvre d'art,
dont elles tirent leur nom et, d'une nudité voulue, ne
contiennent rien d'autre — exhibait à son entrée, comme
quelque précieuse effigie de Benvenuto Cellini[1] représentant un homme de guet, un jeune valet de pied, le corps
légèrement fléchi en avant, dressant sur son hausse-col
rouge une figure plus rouge encore d'où s'échappaient des
torrents de feu, de timidité et de zèle, et qui, perçant les
tapisseries d'Aubusson tendues devant le salon où on écoutait la musique, de son regard impétueux, vigilant, éperdu,
avait l'air, avec une impassibilité militaire ou une foi surnaturelle — allégorie de l'alarme, incarnation de l'attente,
commémoration du branle-bas — d'épier, ange ou vigie,
d'une tour de donjon ou de cathédrale, l'apparition de
l'ennemi ou l'heure du Jugement. Il ne restait plus à Swann
qu'à pénétrer dans la salle du concert dont un huissier chargé
de chaînes lui ouvrit la porte, en s'inclinant, comme il lui
aurait remis les clefs d'une ville. [...]

Swann retrouva rapidement le sentiment de la laideur
masculine, quand, au delà de la tenture de tapisserie, au
spectacle des domestiques succéda celui des invités. Mais
cette laideur même de visages, qu'il connaissait pourtant si
bien, lui semblait neuve depuis que leurs traits — au lieu
d'être pour lui des signes pratiquement utilisables à l'iden-
tification de telle personne qui lui avait représenté jusque-là
un faisceau de plaisirs à poursuivre, d'ennuis à éviter, ou de
politesses à rendre — reposaient, coordonnés seulement
par des rapports esthétiques, dans l'autonomie de leurs
lignes. Et en ces hommes au milieu desquels Swann se
trouva enserré, il n'était pas jusqu'aux monocles que beaucoup portaient (et qui, autrefois, auraient tout au plus permis à Swann de dire qu'ils portaient un monocle), qui,
déliés maintenant de signifier une habitude, la même pour

---

1. *Benvenuto Cellini* (1500-1571) : orfèvre et sculpteur; il n'a laissé aucune
œuvre qui réponde à cette description. Son Persée est jeune et il a cette attitude, mais il est nu et tient à la main la tête de Méduse.

tous, ne lui apparussent chacun avec une sorte d'individualité. Peut-être parce qu'il ne regarda le général de Frober-
ville et le marquis de Bréauté qui causaient dans l'entrée
que comme deux personnages dans un tableau, alors qu'ils
avaient été longtemps pour lui les amis utiles qui l'avaient
présenté au Jockey[1] et assisté dans des duels, le monocle
du général, resté entre ses paupières comme un éclat d'obus
dans sa figure vulgaire, balafrée et triomphale, au milieu du
front qu'il éborgnait comme l'œil unique du cyclope, apparut
à Swann comme une blessure monstrueuse qu'il pouvait être
glorieux d'avoir reçue, mais qu'il était indécent d'exhiber ;
tandis que celui que M. de Bréauté ajoutait, en signe de
festivité, aux gants gris perle, au « gibus », à la cravate blanche
et substituait au binocle familier (comme faisait Swann lui-
même) pour aller dans le monde, portait, collé à son revers,
comme une préparation d'histoire naturelle sous un micros-
cope, un regard infinitésimal et grouillant d'amabilité, qui
ne cessait de sourire à la hauteur des plafonds, à la beauté
des fêtes, à l'intérêt des programmes et à la qualité des
rafraîchissements.

— Tiens, vous voilà, mais il y a des éternités qu'on ne
vous a vu, dit à Swann le général qui, remarquant ses traits
tirés et en concluant que c'était peut-être une maladie
grave qui l'éloignait du monde, ajouta : « Vous avez bonne
mine, vous savez ! » pendant que M. de Bréauté demandait :
« Comment, vous, mon cher, qu'est-ce que vous pouvez bien
faire ici ? » à un romancier mondain qui venait d'installer
au coin de son œil un monocle, son seul organe d'investiga-
tion psychologique et d'impitoyable analyse, et répondit
d'un air important et mystérieux, en roulant l'*r* :

— J'observe[2].

Le monocle du marquis de Forestelle était minuscule,
n'avait aucune bordure et, obligeant à une crispation incessante et douloureuse l'œil où il s'incrustait comme un carti-
lage superflu dont la présence est inexplicable et la matière
recherchée, il donnait au visage du marquis une délicatesse
mélancolique, et le faisait juger par les femmes comme
capable de grands chagrins d'amour. Mais celui de M. de

---

1. Le Jockey-Club, un cercle extrêmement fermé ; **2.** Proust s'est moqué à
plusieurs reprises des romanciers qui recueillent consciemment des observa-
tions pour les faire figurer ensuite dans leurs œuvres. La lecture de ses lettres
et de ses carnets intimes semble bien montrer pourtant qu'il a lui-même
utilisé cette méthode.

Saint-Candé, entouré d'un gigantesque anneau, comme
Saturne, était le centre de gravité d'une figure qui s'ordon-
nait à tout moment par rapport à lui, dont le nez frémissant
et rouge et la bouche lippue et sarcastique tâchaient par
leurs grimaces d'être à la hauteur des feux roulants d'esprit
dont étincelait le disque de verre, et se voyait préféré aux
plus beaux regards du monde par des jeunes femmes snobs
et dépravées qu'il faisait rêver de charmes artificiels et d'un
raffinement de volupté; et cependant, derrière le sien,
M. de Palancy qui, avec sa grosse tête de carpe aux yeux
ronds, se déplaçait lentement au milieu des fêtes en desser-
rant d'instant en instant ses mandibules comme pour chercher son orientation, avait l'air de transporter seulement
avec lui un fragment accidentel, et peut-être purement
symbolique, du vitrage de son aquarium, partie destinée à
figurer le tout, qui rappela à Swann, grand admirateur des
Vices et des *Vertus* de Giotto[1] à Padoue, cet Injuste à côté
duquel un rameau feuillu évoque les forêts où se cache
son repaire (**26**).

Swann s'était avancé sur l'insistance de Mme de Saint-
Euverte, et pour entendre un air d'Orphée[2] qu'exécutait
un flûtiste, s'était mis dans un coin où il avait malheureusement comme seule perspective deux dames déjà mûres
assises l'une à côté de l'autre, la marquise de Cambremer et
la vicomtesse de Franquetot, lesquelles, parce qu'elles étaient
cousines, passaient leur temps dans les soirées, portant leurs
sacs et suivies de leurs filles, à se chercher comme dans une
gare et n'étaient tranquilles que quand elles avaient marqué,
par leur éventail ou leur mouchoir, deux places voisines :
Mme de Cambremer, comme elle avait très peu de relations,
étant d'autant plus heureuse d'avoir une compagne, Mme de
Franquetot, qui était au contraire très lancée, trouvant
quelque chose d'élégant, d'original, à montrer à toutes ses
belles connaissances qu'elle leur préférait une dame obscure
avec qui elle avait en commun des souvenirs de jeunesse.
Plein d'une mélancolique ironie, Swann les regardait écouter
l'intermède de piano (« Saint François parlant aux oiseaux »,
de Liszt[3]) qui avait succédé à l'air de flûte, et suivre le jeu

---

1. *Giotto* (1266-1336) a peint les fresques de l'église Santa Maria dell'Arena,
a Padoue, qui représentent l'histoire de la Vierge et du Christ. Sous les grandes
compositions se trouvent quatorze figures en camaïeu, symbolisant sept vices et
sept vertus; 2. Le fameux air de l'*Orphée* de Gluck (1774) « J'ai perdu mon
Eurydice »; 3. Le *Saint François* de Liszt (1811-1886), pour piano, est de 1863.

vertigineux du virtuose, Mme de Franquetot anxieusement, les yeux éperdus comme si les touches sur lesquelles il courait avec agilité avaient été une suite de trapèzes d'où il pouvait tomber d'une hauteur de quatre-vingts mètres, et non sans lancer à sa voisine des regards d'étonnement, de dénégation qui signifiaient : « Ce n'est pas croyable, je n'aurais jamais pensé qu'un homme pût faire cela », Mme de Cambremer, en femme qui a reçu une forte éducation musicale, battant la mesure avec sa tête transformée en balancier de métronome dont l'amplitude et la rapidité d'oscillations d'une épaule à l'autre étaient devenues telles (avec cette espèce d'égarement et d'abandon du regard qu'ont les douleurs qui ne se connaissent plus ni ne cherchent à se maîtriser et disent : « Que voulez-vous ! ») qu'à tout moment elle accrochait avec ses solitaires les pattes de son corsage et était obligée de redresser les raisins noirs qu'elle avait dans les cheveux, sans cesser pour cela d'accélérer le mouvement. De l'autre côté de Mme de Franquetot, mais un peu en avant, était la marquise de Gallardon, occupée à sa pensée favorite, l'alliance qu'elle avait avec les Guermantes et d'où elle tirait pour le monde et pour elle-même beaucoup de gloire avec quelque honte, les plus brillants d'entre eux la tenant un peu à l'écart, peut-être parce qu'elle était ennuyeuse, ou parce qu'elle était méchante, ou parce qu'elle était d'une branche inférieure, ou peut-être sans aucune raison. Quand elle se trouvait auprès de quelqu'un qu'elle ne connaissait pas, comme en ce moment auprès de Mme de Franquetot (27), elle souffrait que la conscience qu'elle avait de sa parenté avec les Guermantes ne pût se manifester extérieurement en caractères visibles comme ceux qui, dans les mosaïques des églises byzantines, placés les uns au-dessous des autres, inscrivent en une colonne verticale, à côté d'un saint personnage, les mots qu'il est censé prononcer. Elle songeait en ce moment qu'elle n'avait jamais reçu une invitation ni une visite de sa jeune cousine la princesse des Laumes[1], depuis six ans que celle-ci était mariée. Cette pensée la remplissait de colère, mais aussi de fierté ; car, à force de dire aux personnes qui s'étonnaient de ne pas la voir chez Mme des Laumes, que c'est parce qu'elle aurait été exposée à y rencontrer la princesse Mathilde — ce que

---

1. La future duchesse de Guermantes.

sa famille ultralégitimiste ne lui aurait jamais pardonné, —
elle avait fini par croire que c'était en effet la raison pour
laquelle elle n'allait pas chez sa jeune cousine. Elle se rappelait pourtant qu'elle avait demandé plusieurs fois à Mme des
Laumes comment elle pourrait faire pour la rencontrer,
mais ne se le rappelait que confusément et d'ailleurs neutra-
lisait et au delà ce souvenir un peu humiliant en murmurant :
« Ce n'est tout de même pas à moi à faire les premiers pas,
j'ai vingt ans de plus qu'elle. » Grâce à la vertu de ces paroles
intérieures, elle rejetait fièrement en arrière ses épaules
détachées de son buste et sur lesquelles sa tête posée presque
horizontalement faisait penser à la tête « rapportée » d'un
orgueilleux faisan qu'on sert sur une table avec toutes ses
plumes. Ce n'est pas qu'elle ne fût par nature courtaude,
hommasse et boulotte ; mais les camouflets l'avaient redres-
sée comme ces arbres qui, nés dans une mauvaise position
au bord d'un précipice, sont forcés de croître en arrière pour
garder leur équilibre. Obligée, pour se consoler de ne pas
être tout à fait l'égale des autres Guermantes, de se dire
sans cesse que c'était par intransigeance de principes et
fierté qu'elle les voyait peu, cette pensée avait fini par
modeler son corps et par lui enfanter une sorte de prestance
qui passait aux yeux des bourgeoises pour un signe de race
et troublait quelquefois d'un désir fugitif le regard fatigué
des hommes de cercle. Si on avait fait subir à la conversation
de Mme de Gallardon ces analyses qui en relevant la fré-
quence plus ou moins grande de chaque terme permettent
de découvrir la clef d'un langage chiffré, on se fût rendu
compte qu'aucune expression, même la plus usuelle, n'y
revenait aussi souvent que « chez mes cousins de Guermantes », « chez ma tante de Guermantes », « la santé d'Elzéar
de Guermantes », « la baignoire de ma cousine de Guermantes ». Quand on lui parlait d'un personnage illustre,
elle répondait que, sans le connaître personnellement, elle
l'avait rencontré mille fois chez sa tante de Guermantes,
mais elle répondait cela d'un ton si glacial et d'une voix si
sourde qu'il était clair que, si elle ne le connaissait pas personnellement, c'était en vertu de tous les principes indéraci-
nables et entêtés auxquels ses épaules touchaient en arrière,
comme à ces échelles sur lesquelles les professeurs de
gymnastique vous font étendre pour vous développer le
thorax.

Or, la princesse des Laumes, qu'on ne se serait pas attendu à voir chez Mme de Saint-Euverte, venait précisément d'arriver. Pour montrer qu'elle ne cherchait pas à faire sentir dans un salon, où elle ne venait que par condescendance, la supériorité de son rang, elle était entrée en effaçant les épaules là même où il n'y avait aucune foule à fendre et personne à laisser passer, restant exprès dans le fond, de l'air d'y être à sa place, comme un roi qui fait la queue à la porte d'un théâtre tant que les autorités n'ont pas été prévenues qu'il est là; et, bornant simplement son regard — pour ne pas avoir l'air de signaler sa présence et de réclamer des égards — à la considération d'un dessin du tapis ou de sa propre jupe, elle se tenait debout à l'endroit qui lui avait paru le plus modeste (et d'où elle savait bien qu'une exclamation ravie de Mme de Saint-Euverte allait la tirer dès que celle-ci l'aurait aperçue), à côté de Mme de Cambremer qui lui était inconnue. Elle observait la mimique de sa voisine mélomane, mais ne l'imitait pas. Ce n'est pas que, pour une fois qu'elle venait passer cinq minutes chez Mme de Saint - Euverte, la princesse des Laumes n'eût souhaité, pour que la politesse qu'elle lui faisait comptât double, de se montrer le plus aimable possible. Mais par nature, elle avait horreur de ce qu'elle appelait « les exagérations » et tenait à montrer qu'elle « n'avait pas à » se livrer à des manifestations qui n'allaient pas avec le « genre » de la coterie où elle vivait, mais qui pourtant d'autre part ne laissaient pas de l'impressionner, à la faveur de cet esprit d'imitation voisin de la timidité que développe, chez les gens les plus sûrs d'eux-mêmes, l'ambiance d'un milieu nouveau, fût-il inférieur. Elle commençait à se demander si cette gesticulation n'était pas rendue nécessaire par le morceau qu'on jouait et qui ne rentrait peut-être pas dans le cadre de la musique qu'elle avait entendue jusqu'à ce jour, si s'abstenir n'était pas faire preuve d'incompréhension à l'égard de l'œuvre et d'inconvenance vis-à-vis de la maîtresse de la maison : de sorte que pour exprimer par une « cote mal taillée » ses sentiments contradictoires, tantôt elle se contentait de remonter la bride de ses épaulettes ou d'assurer dans ses cheveux blonds les petites boules de corail ou d'émail rose, givrées de diamant, qui lui faisaient une coiffure simple et charmante, en examinant avec une froide curiosité sa fougueuse voisine, tantôt de son éventail elle battait pendant un instant la mesure, mais, pour ne pas abdiquer son indépendance, à contretemps. Le pianiste ayant terminé le morceau de Liszt et ayant commencé un prélude de Chopin, Mme de Cambremer lança à Mme de Franquetot un sourire attendri de satisfaction compétente et d'allusion au passé. Elle avait appris dans sa jeunesse à caresser les phrases, au long col sinueux et démesuré, de Chopin, si libres, si flexibles, si tactiles, qui commencent par chercher et essayer leur place en dehors et bien loin de la direction de leur départ, bien loin du point où on avait pu espérer qu'atteindrait leur attouchement, et qui ne se jouent dans cet écart de fantaisie que pour revenir plus délibérément — d'un retour plus prémédité, avec plus de précision, comme sur un cristal qui résonnerait jusqu'à faire crier — vous frapper au cœur (28).

[Cependant, tout rappelle à Swann son amour pour Odette et la jalousie qu'il éprouve : le nom de la rue qu'elle habite, prononcé incidemment près de lui, et surtout la « petite phrase » de Vinteuil, que joue l'orchestre.]

Comme si les instrumentistes beaucoup moins jouaient la petite phrase qu'ils n'exécutaient les rites exigés d'elle pour qu'elle apparût, et procédaient aux incantations nécessaires pour obtenir et prolonger quelques instants le prodige de son évocation, Swann, qui ne pouvait pas plus la voir que si elle avait appartenu à un monde ultra-violet, et qui goûtait comme le rafraîchissement d'une métamorphose dans la cécité momentanée dont il était frappé en approchant d'elle, Swann la sentait présente, comme une déesse protectrice et confidente de son amour, et qui pour pouvoir arriver jusqu'à lui devant la foule et l'emmener à l'écart pour lui parler, avait revêtu le déguisement de cette apparence sonore. Et tandis qu'elle passait, légère, apaisante et murmurée comme un parfum, lui disant ce qu'elle avait à lui dire et dont il scrutait tous les mots, regrettant de les voir s'envoler si vite, il faisait involontairement avec ses lèvres le mouvement de baiser au passage le corps harmonieux et fuyant. Il ne se sentait plus exilé et seul puisque, elle, qui s'adressait à lui, lui parlait à mi-voix d'Odette. Car il n'avait plus comme autrefois l'impression qu'Odette et lui n'étaient pas connus de la petite phrase. C'est que si souvent elle avait été témoin de leurs joies ! Il est vrai que souvent aussi elle l'avait averti de leur fragilité. Et même, alors que dans ce temps-là il devinait de la souffrance dans son sourire, dans son intonation limpide et désenchantée, aujourd'hui il y trouvait plutôt la grâce d'une résignation presque gaie. De ces chagrins dont elle lui parlait autrefois et qu'il la voyait, sans qu'il fût atteint par eux, entraîner en souriant dans son cours sinueux et rapide, de ces chagrins qui maintenant étaient devenus les siens qu'il eût l'espérance d'en être jamais délivré, elle semblait lui dire comme jadis de son bonheur : « Qu'est-ce cela ? tout cela n'est rien. » Et la pensée de Swann se porta pour la première fois dans un élan de pitié et de tendresse vers ce Vinteuil, vers ce frère inconnu et sublime qui lui aussi avait dû tant souffrir ; qu'avait pu être sa vie ? au fond de quelles douleurs avait-il puisé cette force de dieu, cette puissance illimitée de créer ? Quand c'était la petite phrase qui lui parlait de la vanité de ses souffrances, Swann trouvait de la douceur à cette même sagesse qui tout à l'heure pourtant lui avait paru intolérable, quand il croyait la lire dans les visages des indifférents qui considéraient son amour comme une divagation sans importance. C'est que la petite phrase au contraire, quelque opinion qu'elle pût avoir sur la brève durée de ces états de l'âme, y voyait quelque chose, non pas comme faisaient tous ces gens, de moins sérieux que la vie positive, mais au contraire de si supérieur à elle que seul il valait la peine d'être exprimé. Ces charmes d'une tristesse intime, c'était eux qu'elle essayait d'imiter, de recréer, et jusqu'à leur essence qui est pourtant d'être incommunicables et de sembler frivoles à tout autre qu'à celui qui les éprouve, la petite phrase l'avait captée, rendue visible. Si bien qu'elle faisait confesser leur prix et goûter leur douceur divine, par tous ces mêmes assistants — si seulement ils étaient un peu musiciens — qui ensuite les méconnaîtraient dans la vie, en chaque amour particulier qu'ils verraient naître près d'eux. Sans doute la forme sous laquelle elle les avait codifiés ne pouvait pas se résoudre en raisonnements. Mais depuis plus d'une année que, lui révélant à lui-même bien des richesses de son âme, l'amour de la musique était, pour quelque temps au moins, né en lui, Swann tenait les motifs musicaux pour de véritables idées, d'un autre monde, d'un autre ordre, idées voilées de ténèbres, inconnues, impénétrables à l'intelligence, mais qui n'en sont pas moins

parfaitement distinctes les unes des autres, inégales entre elles
de valeur et de signification. Quand après la soirée Verdurin,
se faisant rejouer la petite phrase, il avait cherché à démêler
comment à la façon d'un parfum, d'une caresse, elle le cir-
convenait, elle l'enveloppait, il s'était rendu compte que
c'était au faible écart entre les cinq notes qui la composaient
et au rappel constant de deux d'entre elles qu'était due cette
impression de douceur rétractée et frileuse; mais en réalité
il savait qu'il raisonnait ainsi non sur la phrase elle-même,
mais sur de simples valeurs, substituées pour la commodité
de son intelligence à la mystérieuse entité qu'il avait perçue,
avant de connaître les Verdurin, à cette soirée où il avait
entendu pour la première fois la sonate. Il savait que le
souvenir même du piano faussait encore le plan dans lequel
il voyait les choses de la musique, que le champ ouvert au
musicien n'est pas un clavier mesquin de sept notes, mais
un clavier incommensurable, encore presque tout entier
inconnu, où seulement çà et là, séparées par d'épaisses
ténèbres inexplorées, quelques-unes des millions de touches
de tendresse, de passion, de courage, de sérénité, qui le
composent, chacune aussi différente des autres qu'un univers d'un autre univers, ont été découvertes par quelques
grands artistes qui nous rendent le service, en éveillant en
nous le correspondant du thème qu'ils ont trouvé, de nous
montrer quelle richesse, quelle variété, cache à notre insu
cette grande nuit impénétrée et décourageante de notre
âme que nous prenons pour du vide et pour du néant.
Vinteuil avait été l'un de ces musiciens. En sa petite phrase,
quoiqu'elle présentât à la raison une surface obscure, on
sentait un contenu si consistant, si explicite, auquel elle
donnait une force si nouvelle, si originale, que ceux qui
l'avaient entendue la conservaient en eux de plain-pied avec
les idées de l'intelligence. Swann s'y reportait comme à
une conception de l'amour et du bonheur dont immédiatement il savait aussi bien en quoi elle était particulière, qu'il le savait pour la *Princesse de Clèves* ou pour
René, quand leur nom se présentait à sa mémoire. Même
quand il ne pensait pas à la petite phrase, elle existait
latente dans son esprit au même titre que certaines autres
notions sans équivalent, comme les notions de lumière,
de son, de relief, de volupté physique, qui sont les riches
possessions dont se diversifie et se pare notre domaine

intérieur. Peut-être les perdrons-nous, peut-être s'efface-ront-elles, si nous retournons au néant. Mais tant que nous vivons, nous ne pouvons pas plus faire que nous ne les ayons connues que nous ne le pouvons pour quelque objet réel, que nous ne pouvons par exemple douter de la lumière de la lampe qu'on allume devant les objets métamorphosés de notre chambre d'où s'est échappé jusqu'au souvenir de l'obscurité. Par là, la phrase de Vinteuil avait, comme tel thème de *Tristan* par exemple, qui nous représente aussi une certaine acquisition sentimentale, épousé notre condi-tion mortelle, pris quelque chose d'humain qui était assez touchant. Son sort était lié à l'avenir, à la réalité de notre âme dont elle était un des ornements les plus particuliers, les mieux différenciés. Peut-être est-ce le néant qui est le vrai et tout notre rêve est-il inexistant, mais alors nous sentons qu'il faudra que ces phrases musicales, ces notions qui existent par rapport à lui, ne soient rien non plus. Nous périrons, mais nous avons pour otages ces captives divines qui suivront notre chance. Et la mort avec elle a quelque chose de moins amer, de moins inglorieux, peut-être de moins probable (**29**).

Swann n'avait donc pas tort de croire que la phrase de la sonate existât réellement. Certes, humaine à ce point de vue, elle appartenait pourtant à un ordre de créatures surnatu-relles et que nous n'avons jamais vues, mais que malgré cela nous reconnaissons avec ravissement quand quelque explo-rateur de l'invisible arrive à en capter une, à l'amener, du monde divin où il a accès, briller quelques instants au-des-sus du nôtre. C'est ce que Vinteuil avait fait pour la petite phrase. Swann sentait que le compositeur s'était contenté, avec ses instruments de musique, de la dévoiler, de la rendre visible, d'en suivre et d'en respecter le dessin d'une main si tendre, si prudente, si délicate et si sûre que le son s'alté-rait à tout moment, s'estompant pour indiquer une ombre, revivifié quand il lui fallait suivre à la piste un plus hardi contour. Et une preuve que Swann ne se trompait pas quand il croyait à l'existence réelle de cette phrase, c'est que tout amateur un peu fin se fût tout de suite aperçu de l'impos-ture, si Vinteuil, ayant eu moins de puissance pour en voir et en rendre les formes, avait cherché à dissimuler, en ajoutant çà et là des traits de son cru, les lacunes de sa vision ou les défaillances de sa main.

Elle avait disparu. Swann savait qu'elle reparaîtrait à la fin du dernier mouvement, après tout un long morceau que le pianiste de Mme Verdurin sautait toujours. Il y avait là d'admirables idées que Swann n'avait pas distinguées à la première audition et qu'il percevait maintenant, comme si elles se fussent, dans le vestiaire de sa mémoire, débarrassées du déguisement uniforme de la nouveauté. Swann écoutait tous les thèmes épars qui entreraient dans la composition de la phrase, comme les prémisses dans la conclusion nécessaire, il assistait à sa genèse. « O audace aussi géniale peut-être, se disait-il, que celle d'un Lavoisier, d'un Ampère[1], l'audace d'un Vinteuil expérimental, découvrant les lois secrètes d'une force inconnue, menant à travers l'inexploré, vers le seul but possible, l'attelage invisible auquel il se fie et qu'il n'apercevra jamais ! » Le beau dialogue que Swann entendit entre le piano et le violon au commencement du dernier morceau ! La suppression des mots humains, loin d'y laisser régner la fantaisie, comme on aurait pu croire, l'en avait éliminée ; jamais le langage parlé ne fut si inflexiblement nécessité, ne connut à ce point la pertinence des questions, l'évidence des réponses. D'abord le piano solitaire se plaignit, comme un oiseau abandonné de sa compagne ; le violon l'entendit, lui répondit comme d'un arbre voisin. C'était comme au commencement du monde, comme s'il n'y avait encore eu qu'eux deux sur la terre, ou plutôt dans ce monde fermé à tout le reste, construit par la logique d'un créateur et où ils ne seraient jamais que tous les deux : cette sonate. Est-ce un oiseau, est-ce l'âme incomplète encore de la petite phrase, est-ce une fée, cet être invisible et gémissant dont le piano ensuite redisait tendrement la plainte ? Ses cris étaient si soudains que le violoniste devait se précipiter sur son archet pour les recueillir. Merveilleux oiseau ! le violoniste semblait vouloir le charmer, l'apprivoiser, le capter. Déjà il avait passé dans son âme, déjà la petite phrase évoquée agitait comme celui d'un médium le corps vraiment possédé du violoniste. Swann savait qu'elle allait parler une fois encore. Et il s'était si bien dédoublé que l'attente de l'instant imminent où il allait se retrouver en face d'elle le secoua d'un de ces sanglots qu'un beau vers ou une triste nouvelle provoquent en nous, non pas quand nous sommes

---

1. *Lavoisier* (1743-1794) a réussi le premier à isoler l'oxygène de l'air. *Ampère* (1775-1836) a découvert les lois de l'électromagnétisme.

seuls, mais si nous les apprenons à des amis en qui nous nous apercevons comme un autre dont l'émotion probable les attendrit. Elle reparut, mais cette fois pour se suspendre dans l'air et se jouer un instant seulement, comme immobile, et pour expirer après. Aussi Swann ne perdait-il rien du temps si court où elle se prorogeait. Elle était encore là comme une bulle irisée qui se soutient. Tel un arc-en-ciel, dont l'éclat faiblit, s'abaisse, puis se relève et, avant de s'éteindre, s'exalte un moment comme il n'avait pas encore fait : aux deux couleurs qu'elle avait jusque-là laissé paraître, elle ajouta d'autres cordes diaprées, toutes celles du prisme, et les fit chanter. Swann n'osait pas bouger et aurait voulu faire tenir tranquilles aussi les autres personnes, comme si le moindre mouvement avait pu compromettre le prestige sur-naturel, délicieux et fragile qui était si près de s'évanouir. Personne, à dire vrai, ne songeait à parler. La parole ineffable d'un seul absent, peut-être d'un mort (Swann ne savait pas si Vinteuil vivait encore), s'exhalant au-dessus des rites de ces officiants, suffisait à tenir en échec l'attention de trois cents personnes, et faisait de cette estrade où une âme était ainsi évoquée un des plus nobles autels où pût s'accomplir une cérémonie surnaturelle. De sorte que, quand la phrase se fut enfin défaite, flottant en lambeaux dans les motifs suivants qui déjà avaient pris sa place, si Swann au premier instant fut irrité de voir la comtesse de Monteriender, célèbre par ses naïvetés, se pencher vers lui pour lui confier ses impressions avant même que la sonate fût finie, il ne put s'empêcher de sourire, et peut-être de trouver aussi un sens profond qu'elle n'y voyait pas, dans les mots dont elle se servit. Émerveillée par la virtuosité des exécutants, la comtesse s'écria en s'adressant à Swann : « C'est prodigieux, je n'ai jamais rien vu d'aussi fort... » Mais un scrupule d'exactitude lui faisant corriger cette première assertion, elle ajouta cette réserve : « rien d'aussi fort... depuis les tables tournantes (**30**)! »

A partir de cette soirée, Swann comprit que le sentiment qu'Odette avait eu pour lui ne renaîtrait jamais, que ses espérances de bonheur ne se réaliseraient plus. Et les jours où par hasard elle avait encore été gentille et tendre avec lui, si elle avait eu quelque attention, il notait ces signes appa-rents et menteurs d'un léger retour vers lui, avec cette sollicitude attendrie et sceptique, cette joie désespérée de ceux qui, soignant un ami arrivé aux derniers jours d'une maladie incurable, relatent comme des faits précieux : « hier, il a fait ses comptes lui-même et c'est lui qui a relevé une erreur d'addition que nous avions faite; il a mangé un œuf avec plaisir, s'il le digère bien on essaiera demain d'une côtelette », quoiqu'ils les sachent dénués de signification à la veille d'une mort inévitable. Sans doute Swann était certain que s'il avait vécu maintenant loin d'Odette, elle aurait fini par lui devenir indifférente, de sorte qu'il aurait été content qu'elle quittât Paris pour toujours; il aurait eu le courage de rester; mais il n'avait pas celui de partir.

[Mme Cottard, rencontrée par hasard, donne a Swann des nouvelles d'Odette, qui voyage sans lui et avec les Verdurin.][1]

Un jour, peu après le retour de ces trois voyageurs[1], Swann voyant passer un omnibus pour le Luxembourg où il avait à faire, avait sauté dedans, et s'y était trouvé assis en face de Mme Cottard qui faisait sa tournée de visites « de jours » en grande tenue, plumet au chapeau, robe de soie, manchon, en-tout-cas, porte-cartes, et gants blancs nettoyés. Revêtue de ces insignes, quand il faisait sec elle allait à pied d'une maison à l'autre, dans un même quartier, mais pour passer ensuite dans un quartier différent usait de l'omnibus avec correspondance. Pendant les premiers instants, avant que la gentillesse native de la femme eût pu percer l'empesé de la petite bourgeoise, et ne sachant trop d'ailleurs si elle devait parler des Verdurin à Swann, elle tint tout naturellement, de sa voix lente, gauche et douce que par moments l'omnibus couvrait complètement de son tonnerre, des propos choisis parmi ceux qu'elle entendait et répétait dans les vingt-cinq maisons dont elle montait les étages dans une journée :

— Je ne vous demande pas, monsieur, si un homme dans le mouvement comme vous, a vu, aux Mirlitons, le portrait de Machard[2] qui fait courir tout Paris. Eh bien! qu'en dites-vous? Êtes-vous dans le camp de ceux qui approuvent ou dans le camp de ceux qui blâment? Dans tous les salons on ne parle que du portrait de Machard; on n'est pas chic, on n'est pas pur, on n'est pas dans le train, si on ne donne pas son opinion sur le portrait de Machard.

1. Les Cottard et « M. Biche »; 2. *Jean-Louis Machard* : peintre français (1839-1900), spécialisé dans les scènes mythologiques.

Swann ayant répondu qu'il n'avait pas vu ce portrait, Mme Cottard eut peur de l'avoir blessé en l'obligeant à le confesser.

— Ah! c'est très bien, au moins vous l'avouez franchement, vous ne vous croyez pas déshonoré parce que vous n'avez pas vu le portrait de Machard. Je trouve cela très beau de votre part. Eh bien, moi je l'ai vu, les avis sont partagés, il y en a qui trouvent que c'est un peu léché, un peu crème fouettée, moi, je le trouve idéal. Évidemment elle ne ressemble pas aux femmes bleues et jaunes de notre ami Biche. Mais je dois vous l'avouer franchement, vous ne me trouverez pas très fin de siècle, mais je le dis comme je le pense, je ne comprends pas. Mon Dieu! je reconnais les qualités qu'il y a dans le portrait de mon mari, c'est moins étrange que ce qu'il fait d'habitude, mais il a fallu qu'il lui fasse des moustaches bleues. Tandis que Machard! Tenez, justement le mari de l'amie chez qui je vais en ce moment (ce qui me donne le très grand plaisir de faire route avec vous) lui a promis, s'il est nommé à l'Académie (c'est un des collègues du docteur), de lui faire faire son portrait par Machard. Évidemment c'est un beau rêve! J'ai une autre amie qui prétend qu'elle aime mieux Leloir[1]. Je ne suis qu'une pauvre profane et Leloir est peut-être encore supérieur comme science. Mais je trouve que la première qualité d'un portrait, surtout quand il coûte 10 000 francs, est d'être ressemblant et d'une ressemblance agréable.

Ayant tenu ces propos que lui inspiraient la hauteur de son aigrette, le chiffre de son porte-cartes, le petit numéro tracé à l'encre dans ses gants par le teinturier et l'embarras de parler à Swann des Verdurin, Mme Cottard, voyant qu'on était encore loin du coin de la rue Bonaparte où le conducteur devait l'arrêter, écouta son cœur qui lui conseillait d'autres paroles.

— Les oreilles ont dû vous tinter, monsieur, lui dit-elle, pendant le voyage que nous avons fait avec Mme Verdurin. On ne parlait que de vous.

Swann fut bien étonné, il supposait que son nom n'était jamais proféré devant les Verdurin.

— D'ailleurs, ajouta Mme Cottard, Mme de Crécy était

1. Deux peintres de ce nom : Alexandre (1843-1884) et son frère Maurice (1853-1940), furent connus à la fin du XIXe siècle comme aquarellistes, portraitistes et surtout illustrateurs.

là, et c'est tout dire. Quand Odette est quelque part, elle
ne peut jamais rester bien longtemps sans parler de vous.
Et vous pensez que ce n'est pas en mal. Comment! vous en
doutez? dit-elle, en voyant un geste sceptique de Swann.

Et emportée par la sincérité de sa conviction, ne mettant
d'ailleurs aucune mauvaise pensée sous ce qu'elle prenait seulement dans le sens où on l'emploie pour parler de
l'affection qui unit des amis :

— Mais elle vous adore! Ah! je crois qu'il ne faudrait
pas dire ça de vous devant elle! On serait bien arrangé!
A propos de tout, si on voyait un tableau par exemple elle
disait : « Ah! s'il était là, c'est lui qui saurait vous dire si
c'est authentique ou non. Il n'y a personne comme lui
pour ça. » Et à tout moment elle demandait : « Qu'est-ce
qu'il peut faire en ce moment? Si seulement il travaillait
un peu! C'est malheureux, un garçon si doué, qu'il soit
si paresseux. (Vous me pardonnez, n'est-ce pas?) En ce
moment je le vois, il pense à nous, il se demande où nous
sommes. » Elle a même eu un mot que j'ai trouvé bien joli;
M. Verdurin lui disait : « Mais comment pouvez-vous voir
ce qu'il fait en ce moment puisque vous êtes à huit cents
lieues de lui? » Alors Odette lui a répondu : « Rien n'est
impossible à l'œil d'une amie. » Non je vous jure, je ne vous
dis pas cela pour vous flatter, vous avez là une vraie amie
comme on n'en a pas beaucoup. Je vous dirai du reste que
si vous ne le savez pas, vous êtes le seul. Mᵐᵉ Verdurin me
le disait encore le dernier jour (vous savez les veilles de
départ on cause mieux) : « Je ne dis pas qu'Odette ne nous
aime pas, mais tout ce que nous lui disons ne pèserait pas
lourd auprès de ce que lui dirait M. Swann. » Oh! mon Dieu,
voilà que le conducteur m'arrête, en bavardant avec vous
j'allais laisser passer la rue Bonaparte... me rendriez-vous le
service de me dire si mon aigrette est droite? »

Et Mᵐᵉ Cottard sortit de son manchon pour la tendre à
Swann sa main gantée de blanc d'où s'échappa, avec une
correspondance, une vision de haute vie qui remplit l'omnibus, mêlée à l'odeur du teinturier. Et Swann se sentit
déborder de tendresse pour elle, autant que pour Mᵐᵉ Verdurin (et presque autant que pour Odette, car le sentiment
qu'il éprouvait pour cette dernière, n'étant plus mêlé de
douleur, n'était plus guère de l'amour), tandis que de la
plate-forme il la suivait de ses yeux attendris, qui enfilait

courageusement la rue Bonaparte, l'aigrette haute, d'une main relevant sa jupe, de l'autre tenant son en-tout-cas et son porte-cartes dont elle laissait voir le chiffre, laissant baller devant elle son manchon (**31**).

Pour faire concurrence aux sentiments maladifs que Swann avait pour Odette, Mme Cottard, meilleur thérapeute que n'eût été son mari, avait greffé à côté d'eux d'autres sentiments, normaux ceux-là, de gratitude, d'amitié, des sentiments qui dans l'esprit de Swann rendraient Odette plus humaine (plus semblable aux autres femmes, parce que d'autres femmes aussi pouvaient les lui inspirer), hâteraient sa transformation définitive en cette Odette aimée d'affection paisible, [...] près de qui Swann avait entrevu qu'il pourrait vivre heureux.

[Dans la dernière partie du roman, nous revenons au narrateur, qui rêve de voyages.]

Mais rien ne ressemblait moins non plus à ce Balbec réel que celui dont j'avais souvent rêvé, les jours de tempête, quand le vent était si fort que Françoise en me menant aux Champs-Élysées me recommandait de ne pas marcher trop près des murs pour ne pas recevoir de tuiles sur la tête, et parlait en gémissant des grands sinistres et naufrages annoncés par les journaux. Je n'avais pas de plus grand désir que de voir une tempête sur la mer, moins comme un beau spectacle que comme un moment dévoilé de la vie réelle de la nature; ou plutôt il n'y avait pour moi de beaux spectacles que ceux que je savais qui n'étaient pas artificiellement combinés pour mon plaisir, mais étaient nécessaires, inchangeables, — les beautés des paysages ou du grand art. Je n'étais curieux, je n'étais avide de connaître que ce que je croyais plus vrai que moi-même, ce qui avait pour moi le prix de me montrer un peu de la pensée d'un grand génie, ou de la force ou de la grâce de la nature telle qu'elle se manifeste livrée à elle-même, sans l'intervention des hommes. De même que le beau son de sa voix, isolément reproduit par le phonographe, ne nous consolerait pas d'avoir perdu notre mère, de même une tempête mécaniquement imitée m'aurait laissé aussi indifférent que les fontaines lumineuses de l'Exposition[1]. Je voulais aussi, pour que la

---

1. Une des principales attractions de l'Exposition universelle de 1889, à Paris.

tempête fût absolument vraie, que le rivage lui-même fût un rivage naturel, non une digue récemment créée par une municipalité. D'ailleurs la nature, par tous les sentiments qu'elle éveillait en moi, me semblait ce qu'il y avait de plus opposé aux productions mécaniques des hommes. Moins elle portait leur empreinte et plus elle offrait d'espace à l'expansion de mon cœur. Or j'avais retenu le nom de Balbec que nous avait cité Legrandin, comme d'une plage toute proche de « ces côtes funèbres, fameuses par tant de naufrages, qu'enveloppent six mois de l'année le linceul des brumes et l'écume des vagues ».

« On y sent encore sous ses pas, disait-il, bien plus qu'au Finistère lui-même (et quand bien même des hôtels s'y superposeraient maintenant, sans pouvoir y modifier la plus antique ossature de la terre), on y sent la véritable fin de la terre française, européenne, de la Terre antique. Et c'est le dernier campement de pêcheurs, pareils à tous les pêcheurs qui ont vécu depuis le commencement du monde, en face du royaume éternel des brouillards de la mer et des ombres. » Un jour qu'à Combray j'avais parlé de cette plage de Balbec devant M. Swann, afin d'apprendre de lui si c'était le point le mieux choisi pour voir les plus fortes tempêtes, il m'avait répondu : « Je crois bien que je connais Balbec ! L'église de Balbec, du XIIᵉ et XIIIᵉ siècle, encore à moitié romane, est peut-être le plus curieux échantillon du gothique normand, et si singulière ! on dirait de l'art persan. » Et ces lieux qui jusque-là ne m'avaient semblé être que de la nature immémoriale, restée contemporaine des grands phénomènes géologiques — et tout aussi en dehors de l'histoire humaine que l'Océan ou la grande Ourse, avec ces sauvages pêcheurs pour qui, pas plus que pour les baleines, il n'y eut de moyen âge — ç'avait été un grand charme pour moi de les voir tout d'un coup entrés dans la série des siècles, ayant connu l'époque romane, et de savoir que le trèfle gothique était venu nervurer aussi ces rochers sauvages à l'heure voulue, comme ces plantes frêles mais vivaces qui, quand c'est le printemps, étoilent çà et là la neige des pôles. Et si le gothique apportait à ces lieux et à ces hommes une détermination qui leur manquait, eux aussi lui en conféraient une en retour. J'essayais de me représenter comment ces pêcheurs avaient vécu, le timide et insoupçonné essai de rapports sociaux qu'ils avaient tenté là, pendant le moyen âge, ramassés sur un point des côtes d'Enfer, aux pieds des falaises de la mort; et le gothique me semblait plus vivant maintenant que, séparé des villes où je l'avais toujours imaginé jusque-là, je pouvais voir comment, dans un cas particulier, sur des rochers sauvages, il avait germé et fleuri en un fin clocher. On me mena voir des reproductions des plus célèbres statues de Balbec — les apôtres moutonnants et camus, la Vierge du porche —, et de joie ma respiration s'arrêtait dans ma poitrine quand je pensais que je pourrais les voir se modeler en relief sur le brouillard éternel et salé. Alors, par les soirs orageux et doux de février, le vent, soufflant dans mon cœur, qu'il ne faisait pas trembler moins fort que la cheminée de ma chambre, le projet d'un voyage à Balbec mêlait en moi le désir de l'architecture gothique avec celui d'une tempête sur la mer.

J'aurais voulu prendre dès le lendemain le beau train généreux d'une heure vingt-deux dont je ne pouvais jamais sans que mon cœur palpitât lire, dans les réclames des compagnies de chemin de fer, dans les annonces de voyages circulaires, l'heure de départ : elle me semblait inciser à un point précis de l'après-midi une savoureuse entaille, une marque mystérieuse à partir de laquelle les heures déviées conduisaient bien encore au soir, au matin du lendemain, mais qu'on verrait, au lieu de Paris, dans l'une de ces villes par où le train passe et entre lesquelles il nous permettait de choisir; car il s'arrêtait à Bayeux, à Coutances, à Vitré, à Questambert, à Pontorson, à Balbec, à Lannion, à Lamballe, à Benodet, à Pont-Aven, à Quimperlé[1], et s'avançait magnifiquement surchargé de noms qu'il m'offrait et entre lesquels je ne savais lequel j'aurais préféré, par impossibilité d'en sacrifier aucun. Mais sans même l'attendre, j'aurais pu, en m'habillant à la hâte, partir le soir même, si mes parents me l'avaient permis, et arriver à Balbec quand le petit jour se lèverait sur la mer furieuse, contre les écumes envolées de laquelle j'irais me réfugier dans l'église de style persan. Mais à l'approche des vacances de Pâques, quand mes parents m'eurent promis de me les faire passer une fois dans le nord de l'Italie, voilà qu'à ces rêves de tempête dont j'avais été rempli tout entier, ne souhaitant voir que des vagues accourant de partout, toujours plus haut, sur la

---

1. Bien entendu, aucun train n'a jamais desservi toutes ces localités à la fois, surtout dans cet ordre.

côte la plus sauvage, près d'églises escarpées et rugueuses comme des falaises et dans les tours desquelles crieraient les oiseaux de mer, voilà que tout à coup les effaçant, leur ôtant tout charme, les excluant parce qu'ils lui étaient opposés et n'auraient pu que l'affaiblir, se substituait en moi le rêve contraire du printemps le plus diapré, non pas le printemps de Combray qui piquait encore aigrement avec toutes les aiguilles du givre, mais celui qui couvrait déjà de lys et d'anémones les champs de Fiesole et éblouissait Florence[1] de fonds d'or pareils à ceux de l'Angelico[2]. Dès lors, seuls les rayons, les parfums, les couleurs me semblaient avoir du prix; car l'alternance des images avait amené en moi un changement de front du désir, et — aussi brusque que ceux qu'il y a parfois en musique — un complet changement de ton dans ma sensibilité. Puis il arriva qu'une simple variation atmosphérique suffît à provoquer en moi cette modulation sans qu'il y eût besoin d'attendre le retour d'une saison. Car souvent dans l'une on trouve égaré un jour d'une autre, qui nous y fait vivre, en évoque aussitôt, en fait désirer les plaisirs particuliers et interrompt les rêves que nous étions en train de faire, en plaçant plus tôt ou plus tard qu'à son tour ce feuillet détaché d'un autre chapitre, dans le calendrier interpolé du Bonheur. Mais bientôt, comme ces phénomènes naturels dont notre confort ou notre santé ne peuvent tirer qu'un bénéfice accidentel et assez mince jusqu'au jour où la science s'empare d'eux et, les produisant à volonté, remet en nos mains la possibilité de leur apparition, soustraite à la tutelle et dispensée de l'agrément du hasard, de même la production de ces rêves d'Atlantique et d'Italie cessa d'être soumise uniquement aux changements des saisons et du temps. Je n'eus besoin pour les faire renaître que de prononcer ces noms : Balbec, Venise, Florence, dans l'intérieur desquels avait fini par s'accumuler le désir que m'avaient inspiré les lieux qu'ils désignaient. Même au printemps, trouver dans un livre le nom de Balbec suffisait à réveiller en moi le désir des tempêtes et du gothique normand; même par un jour de tempête, le nom de Florence ou de Venise me donnait le désir du soleil,

---

1. Ces rêveries sur Florence et Fiesole sont très directement inspirées du *Lys rouge* d'Anatole France, paru en 1894; **2.** *Fra Angelico* (1387-1455) vécut une grande partie de sa vie au couvent des dominicains de Fiesole. Il va sans dire que les fonds d'or de ses tableaux sont conformes à la technique picturale de son temps et non à la réalité.

des lys, du palais des Doges et de Sainte-Marie-des-Fleurs[1] (**32**).

Mais si ces noms absorbèrent à tout jamais l'image que j'avais de ces villes, ce ne fut qu'en la transformant, qu'en soumettant sa réapparition en moi à leurs lois propres; ils eurent ainsi pour conséquence de la rendre plus belle, mais aussi plus différente de ce que les villes de Normandie ou de Toscane pouvaient être en réalité, et, en accroissant les joies arbitraires de mon imagination, d'aggraver la déception future de mes voyages. Ils exaltèrent l'idée que je me faisais de certains lieux de la terre, en les faisant plus particuliers, par conséquent plus réels. Je ne me représentais pas alors les villes, les paysages, les monuments comme des tableaux plus ou moins agréables, découpés çà et là dans une même matière, mais chacun d'eux comme un inconnu, essentiellement différent des autres, dont mon âme avait soif et qu'elle aurait profit à connaître. Combien ils prirent quelque chose de plus individuel encore, d'être désignés par des noms, des noms qui n'étaient que pour eux, des noms comme en ont les personnes! Les mots nous présentent des choses une petite image claire et usuelle comme celles que l'on suspend aux murs des écoles pour donner aux enfants l'exemple de ce qu'est un établi, un oiseau, une fourmilière, choses conçues comme pareilles à toutes celles de même sorte. Mais les noms présentent des personnes — et des villes qu'ils nous habituent à croire individuelles, uniques comme des personnes — une image confuse qui tire d'eux, de leur sonorité éclatante ou sombre, la couleur dont elle est peinte uniformément, comme une de ces affiches, entièrement bleues ou entièrement rouges, dans lesquelles, à cause des limites du procédé employé ou par un caprice du décorateur, sont bleus ou rouges, non seulement le ciel et la mer, mais les barques, l'église, les passants. Le nom de Parme, une des villes où je désirais le plus aller depuis que j'avais lu *la Chartreuse*[2], m'apparaissant compact, lisse, mauve et doux, si on me parlait d'une maison quelconque de Parme dans laquelle je serais reçu, on me causait le plaisir de penser que j'habiterais une demeure lisse, compacte, mauve et douce, qui n'avait de rapport avec les demeures

---

1. La cathédrale de Florence; 2. Cette interprétation de *la Chartreuse de Parme* est toute subjective. La ville est assez peu décrite, et avec une ironie qui exclut la « douceur stendhalienne » à laquelle Proust fait allusion plus loin.

d'aucune ville d'Italie, puisque je l'imaginais seulement à l'aide de cette syllabe lourde du nom de Parme, où ne circule aucun air, et de tout ce que je lui avais fait absorber de douceur stendhalienne et du reflet des violettes. Et quand je pensais à Florence, c'était comme à une ville miraculeusement embaumée et semblable à une corolle, parce qu'elle s'appelait la cité des lys et sa cathédrale, Sainte-Marie-des-Fleurs. Quant à Balbec, c'était un de ces noms où comme sur une vieille poterie normande qui garde la couleur de la terre d'où elle fut tirée, on voit se peindre encore la représentation de quelque usage aboli, de quelque droit féodal, d'un état ancien de lieux, d'une manière désuète de prononcer qui en avait formé les syllabes hétéroclites et que je ne doutais pas de retrouver jusque chez l'aubergiste qui me servirait du café au lait à mon arrivée, me menant voir la mer déchaînée devant l'église, et auquel je prêtais l'aspect disputeur, solennel et médiéval d'un personnage de fabliau.

Si ma santé s'affermissait et que mes parents me permissent, sinon d'aller séjourner à Balbec, du moins de prendre une fois, pour faire connaissance avec l'architecture et les paysages de la Normandie ou de la Bretagne, ce train d'une heure vingt-deux dans lequel j'étais monté tant de fois en imagination, j'aurais voulu m'arrêter de préférence dans les villes les plus belles; mais j'avais beau les comparer, comment choisir, plus qu'entre des êtres individuels qui ne sont pas interchangeables, entre Bayeux si haute dans sa noble dentelle rougeâtre et dont le faîte était illuminé par le vieil or de sa dernière syllabe; Vitré dont l'accent aigu losangeait de bois noir le vitrage ancien; le doux Lamballe qui, dans son blanc, va du jaune coquille d'œuf au gris perle; Coutances, cathédrale normande, que sa diphtongue finale, grasse et jaunissante, couronne par une tour de beurre; Lannion avec le bruit, dans son silence villageois, du coche suivi de la mouche; Questambert, Pontorson, risibles et naïfs, plumes blanches et becs jaunes éparpillés sur la route de ces lieux fluviatiles et poétiques; Benodet, nom à peine amarré que semble vouloir entraîner la rivière au milieu de ses algues; Pont-Aven, envolée blanche et rose de l'aile d'une coiffe légère qui se reflète en tremblant dans une eau verdie de canal; Quimperlé[1], lui, mieux attaché, et depuis

1. Encore des associations d'idées subjectives, mais favorisées quelquefois par des données réelles : *Coutances* est un grand marché beurrier; *Benodet*,

le moyen âge, entre les ruisseaux dont il gazouille et s'emperle en une grisaille pareille à celle que dessinent, à travers les toiles d'araignées d'une verrière, les rayons de soleil changés en pointes émoussées d'argent bruni ?

Ces images étaient fausses pour une autre raison encore; c'est qu'elles étaient forcément très simplifiées; sans doute ce à quoi aspirait mon imagination et que mes sens ne percevaient qu'incomplètement et sans plaisir dans le présent, je l'avais enfermé dans le refuge des noms; sans doute, parce que j'y avais accumulé du rêve, ils aimantaient maintenant mes désirs; mais les noms ne sont pas très vastes; c'est tout au plus si je pouvais y faire entrer deux ou trois des « curiosités » principales de la ville et elles s'y juxtaposaient sans intermédiaires; dans le nom de Balbec, comme dans le verre grossissant de ces porte-plume qu'on achète aux bains de mer, j'apercevais des vagues soulevées autour d'une église de style persan. Peut-être même la simplification de ces images fut-elle une des causes de l'empire qu'elles prirent sur moi. Quand mon père eut décidé, une année, que nous irions passer les vacances de Pâques à Florence et à Venise, n'ayant pas la place de faire entrer dans le nom de Florence les éléments qui composent d'habitude les villes, je fus contraint à faire sortir une cité surnaturelle de la fécondation, par certains parfums printaniers, de ce que je croyais être, en son essence, le génie de Giotto. Tout au plus — et parce qu'on ne peut pas faire tenir dans un nom beaucoup plus de durée que d'espace — comme certains tableaux de Giotto eux-mêmes qui montrent à deux moments différents de l'action un même personnage, ici couché dans son lit, là s'apprêtant à monter à cheval, le nom de Florence était-il divisé en deux compartiments. Dans l'un, sous un dais architectural, je contemplais une fresque à laquelle était partiellement superposé un rideau de soleil matinal, poudreux, oblique et progressif; dans l'autre (car ne pensant pas aux noms comme à un idéal inaccessible, mais comme à une ambiance réelle dans laquelle j'irais me plonger, la vie non vécue encore, la vie intacte et pure que j'y enfermais donnait aux plaisirs les plus matériels, aux scènes les plus simples, cet attrait qu'ils ont dans les œuvres des primitifs) je traversais rapidement — pour trouver plus

compris entre une plage et l'embouchure de l'Odet, peut paraître à peine amarré, et *Quimperlé* est parcouru par un entrelacs de rivières et de canaux.

vite le déjeuner qui m'attendait avec des fruits et du vin de Chianti — le Ponte Vecchio[1] encombré de jonquilles, de narcisses et d'anémones (**33**).

[L'état de santé du narrateur l'empêche de voyager. Nous le retrouvons à Paris, jouant aux Champs-Élysées. Il a fait la connaissance de Gilberte, la fille de M. Swann et d'Odette.]

Un jour, comme je m'ennuyais à notre place familière, à côté des chevaux de bois, Françoise m'avait emmené en excursion — au delà de la frontière que gardent à intervalles égaux les petits bastions des marchandes de sucre d'orge — dans ces régions voisines mais étrangères où les visages sont inconnus, où passe la voiture aux chèvres; puis elle était revenue prendre ses affaires sur sa chaise adossée à un massif de lauriers; en l'attendant je foulais la grande pelouse chétive et rase, jaunie par le soleil, au bout de laquelle le bassin est dominé par une statue, quand, de l'allée, s'adressant à une fillette à cheveux roux qui jouait au volant devant la vasque, une autre, en train de mettre son manteau et de serrer sa raquette, lui cria, d'une voix brève : « Adieu, Gilberte, je rentre, n'oublie pas que nous venons ce soir chez toi après dîner. » Ce nom de Gilberte passa près de moi, évoquant d'autant plus l'existence de celle qu'il désignait qu'il ne la nommait pas seulement comme un absent dont on parle, mais l'interpellait; il passa ainsi près de moi, en action pour ainsi dire, avec une puissance qu'accroissait la courbe de son jet et l'approche de son but; — transportant à son bord, je le sentais, la connaissance, les notions qu'avait de celle à qui il était adressé, non pas moi, mais l'amie qui l'appelait, tout ce que, tandis qu'elle le prononçait, elle revoyait ou, du moins, possédait en sa mémoire, de leur intimité quotidienne, des visites qu'elles se faisaient l'une chez l'autre, de tout cet inconnu encore plus inaccessible et plus douloureux pour moi d'être au contraire si familier et si maniable pour cette fille heureuse qui m'en frôlait sans que j'y puisse pénétrer et le jetait en plein air dans un cri; — laissant déjà flotter dans l'air l'émanation délicieuse qu'il avait fait se dégager, en les touchant avec précision, de quelques points invisibles de la vie de Mlle Swann, du soir qui allait venir, tel qu'il serait, après dîner, chez elle; —

---

1. Le Vieux-Pont de Florence, près du palais ducal.

formant, passager céleste au milieu des enfants et des bonnes, un petit nuage d'une couleur précieuse, pareil à celui qui, bombé au-dessus d'un beau jardin du Poussin, reflète minutieusement, comme un nuage d'opéra[1] plein de chevaux et de chars, quelque apparition de la vie des dieux; — jetant enfin, sur cette herbe pelée, à l'endroit où elle était un morceau à la fois de pelouse flétrie et un moment de l'après-midi de la blonde joueuse de volant (qui ne s'arrêta de le lancer et de le rattraper que quand une institutrice à plumet bleu l'eut appelée), une petite bande merveilleuse et couleur d'héliotrope, impalpable comme un reflet et superposée comme un tapis, sur lequel je ne pus me lasser de promener mes pas attardés, nostalgiques et profanateurs, tandis que Françoise me criait : « Allons, aboutonnez voir votre paletot et filons », et que je remarquais pour la première fois avec irritation qu'elle avait un langage vulgaire, et hélas! pas de plumet bleu à son chapeau.

Retournerait-elle seulement aux Champs-Élysées ? Le lendemain elle n'y était pas; mais je l'y vis les jours suivants; je tournais tout le temps autour de l'endroit où elle jouait avec ses amies, si bien qu'une fois où elles ne se trouvèrent pas en nombre pour leur partie de barres, elle me fit demander si je voulais compléter leur camp, et je jouai désormais avec elle chaque fois qu'elle était là. Mais ce n'était pas tous les jours; il y en avait où elle était empêchée de venir par ses cours, le catéchisme, un goûter, toute cette vie séparée de la mienne que par deux fois, condensée dans le nom de Gilberte, j'avais senti passer si douloureusement près de moi, dans le raidillon de Combray et sur la pelouse des Champs-Élysées. Ces jours-là, elle annonçait d'avance qu'on ne la verrait pas; si c'était à cause de ses études, elle disait : « C'est rasant, je ne pourrai pas venir demain; vous allez tous vous amuser sans moi », d'un air chagrin qui me consolait un peu; mais en revanche quand elle était invitée à une matinée et que, ne le sachant pas, je lui demandais si elle viendrait jouer, elle me répondait : « J'espère bien que non! J'espère bien que maman me laissera aller chez mon amie. » Du moins ces jours-là, je savais que je ne la verrais pas, tandis que d'autres fois, c'était à l'improviste

---

1. A l'arrière-plan de *l'Empire de Flore*, tableau de Poussin (1594-1665), on aperçoit le char du Soleil, traîné par quatre chevaux, qui repose sur un nuage rose bombé.

que sa mère l'emmenait faire des courses avec elle, et le
lendemain elle disait : « Ah ! oui, je suis sortie avec maman »,
comme une chose naturelle, et qui n'eût pas été pour quelqu'un le plus grand malheur possible. Il y avait aussi les
jours de mauvais temps où son institutrice, qui pour elle-
même craignait la pluie, ne voulait pas l'emmener aux
Champs-Élysées (**34**).

Aussi si le ciel était douteux, dès le matin je ne cessais de
l'interroger et je tenais compte de tous les présages. Si je
voyais la dame d'en face qui, près de la fenêtre, mettait
son chapeau, je me disais : « Cette dame va sortir ; donc il
fait un temps où l'on peut sortir : pourquoi Gilberte ne
ferait-elle pas comme cette dame ? » Mais le temps s'assom-
brissait, ma mère disait qu'il pouvait se lever encore, qu'il
suffirait pour cela d'un rayon de soleil, mais que plus probablement il pleuvrait ; et s'il pleuvait, à quoi bon aller aux
Champs-Élysées ? Aussi depuis le déjeuner mes regards
anxieux ne quittaient plus le ciel incertain et nuageux. Il
restait sombre. Devant la fenêtre, le balcon était gris. Tout
d'un coup, sur sa pierre maussade je ne voyais pas une
couleur moins terne, mais je sentais comme un effort vers
une couleur moins terne, la pulsation d'un rayon hésitant
qui voulait libérer sa lumière. Un instant après, le balcon
était pâle et réfléchissant comme une eau matinale, et mille
reflets de la ferronnerie de son treillage étaient venus s'y
poser. Un souffle de vent les dispersait, la pierre s'était de
nouveau assombrie, mais, comme apprivoisés, ils revenaient ;
elle recommençait imperceptiblement à blanchir et par un
de ces crescendos continus comme ceux qui, en musique,
à la fin d'une Ouverture, mènent une seule note jusqu'au
fortissimo suprême en la faisant passer rapidement par tous
les degrés intermédiaires, je la voyais atteindre à cet or
inaltérable et fixe des beaux jours, sur lequel l'ombre décou-
pée de l'appui ouvragé de la balustrade se détachait en noir
comme une végétation capricieuse, avec une ténuité dans la
délinéation des moindres détails qui semblait trahir une
conscience appliquée, une satisfaction d'artiste, et avec un
tel relief, un tel velours dans le repos de ses masses sombres
et heureuses qu'en vérité ces reflets larges et feuillus qui
reposaient sur ce lac de soleil semblaient savoir qu'ils étaient
des gages de calme et de bonheur.

Lierre instantané, flore pariétaire et fugitive ! la plus

incolore, la plus triste, au gré de beaucoup, de celles qui peuvent ramper sur le mur ou décorer la croisée; pour moi, de toutes la plus chère depuis le jour où elle était apparue sur notre balcon, comme l'ombre même de la présence de Gilberte, qui était peut-être déjà aux Champs-Élysées, et dès que j'y arriverais me dirait : « Commençons tout de suite à jouer aux barres, vous êtes dans mon camp »; fragile, emportée par un souffle, mais aussi en rapport non pas avec la saison, mais avec l'heure; promesse du bonheur immédiat que la journée refuse ou accomplira, et par là du bonheur immédiat par excellence, le bonheur de l'amour; plus douce, plus chaude sur la pierre que n'est la mousse même; vivace, à qui il suffit d'un rayon pour naître et faire éclore de la joie, même au cœur de l'hiver (**35**).

Et jusque dans ces jours où toute autre végétation a disparu, où le beau cuir vert qui enveloppe le tronc des vieux arbres est caché sous la neige, quand celle-ci cessait de tomber, mais que le temps restait trop couvert pour espérer que Gilberte sortît, alors tout d'un coup, faisant dire à ma mère : « Tiens voilà justement qu'il fait beau, vous pourriez peut-être essayer tout de même d'aller aux Champs-Élysées », sur le manteau de neige qui couvrait le balcon, le soleil apparu entrelaçait des fils d'or et brodait des reflets noirs. Ce jour-là, nous ne trouvions personne, ou une seule fillette prête à partir qui m'assurait que Gilberte ne viendrait pas. Les chaises désertées par l'assemblée imposante mais frileuse des institutrices étaient vides. Seule, près de la pelouse, était assise une dame d'un certain âge qui venait par tous les temps, toujours harnachée d'une toilette identique, magnifique et sombre, et pour faire la connaissance de laquelle j'aurais à cette époque sacrifié, si l'échange m'avait été permis, tous les plus grands avantages futurs de ma vie. Car Gilberte allait tous les jours la saluer; elle demandait à Gilberte des nouvelles de « son amour de mère »; et il me semblait que, si je l'avais connue, j'aurais été pour Gilberte quelqu'un de tout autre, quelqu'un qui connaissait les relations de ses parents. Pendant que ses petits-enfants jouaient plus loin, elle lisait toujours les *Débats*[1] qu'elle appelait « mes vieux Débats » et, par genre

---

1. *Journal des débats*, quotidien conservateur, qui paraissait le matin à cette époque. On apprendra par la suite que cette dame, une certaine Mme Blatin, est une vague relation des Swann, mais que ceux-ci ne la recherchent pas.

aristocratique, disait en parlant du sergent de ville ou de la
loueuse de chaises : « Mon vieil ami le sergent de ville »,
« la loueuse de chaises et moi qui sommes de vieux amis ».

Françoise avait trop froid pour rester immobile, nous
allâmes jusqu'au pont de la Concorde voir la Seine prise,
dont chacun et même les enfants s'approchaient sans peur
comme d'une immense baleine échouée, sans défense, et
qu'on allait dépecer. Nous revenions aux Champs-Élysées ;
je languissais de douleur entre les chevaux de bois immobiles et la pelouse blanche, prise dans le réseau noir des
allées dont on avait enlevé la neige et sur laquelle la statue
avait à la main un jet de glace ajouté qui semblait l'explication de son geste. La vieille dame elle-même, ayant plié
ses *Débats*, demanda l'heure à une bonne d'enfants qui
passait et qu'elle remercia en lui disant : « Comme vous
êtes aimable ! » puis, priant le cantonnier de dire à ses petits-
enfants de revenir, qu'elle avait froid, ajouta : « Vous serez
mille fois bon. Vous savez que je suis confuse ! » Tout à
coup l'air se déchira : entre le guignol et le cirque, à l'horizon
embelli, sur le ciel entr'ouvert, je venais d'apercevoir, comme
un signe fabuleux, le plumet bleu de Mademoiselle. Et
déjà Gilberte courait à toute vitesse dans ma direction,
étincelante et rouge sous un bonnet carré de fourrure,
animée par le froid, le retard et le désir du jeu ; un peu avant
d'arriver à moi, elle se laissa glisser sur la glace et, soit pour
mieux garder son équilibre, soit parce qu'elle trouvait cela
plus gracieux, ou par affectation du maintien d'une pati-
neuse, c'est les bras grands ouverts qu'elle avançait en
souriant, comme si elle avait voulu m'y recevoir. « Brava !
Brava ! ça c'est très bien, je dirais comme vous que c'est
chic, que c'est crâne, si je n'étais pas d'un autre temps, du
temps de l'ancien régime, s'écria la vieille dame prenant la
parole au nom des Champs-Élysées silencieux pour remercier Gilberte d'être venue sans se laisser intimider par le
temps. Vous êtes comme moi, fidèle quand même à nos
vieux Champs-Élysées ; nous sommes deux intrépides. Si je
vous disais que je les aime, même ainsi. Cette neige, vous
allez rire de moi, ça me fait penser à de l'hermine ! » Et la
vieille dame se mit à rire.

Le premier de ces jours — auxquels la neige, image des
puissances qui pouvaient me priver de voir Gilberte, donnait
la tristesse d'un jour de séparation et jusqu'à l'aspect d'un

jour de départ, parce qu'il changeait la figure et empêchait presque l'usage du lieu habituel de nos seules entrevues, maintenant changé, tout enveloppé de housses — ce jour fit pourtant faire un progrès à mon amour, car il fut comme un premier chagrin qu'elle eût partagé avec moi. Il n'y avait que nous deux de notre bande, et être ainsi le seul qui fût avec elle, c'était non seulement comme un commencement d'intimité, mais aussi de sa part — comme si elle ne fût venue rien que pour moi par un temps pareil — cela me semblait aussi touchant que si, un de ces jours où elle était invitée à une matinée, elle y avait renoncé pour venir me retrouver aux Champs-Élysées; je prenais plus de confiance en la vitalité et en l'avenir de notre amitié qui restait vivace au milieu de l'engourdissement, de la solitude et de la ruine des choses environnantes; et tandis qu'elle me mettait des boules de neige dans le cou, je souriais avec attendrissement à ce qui me semblait à la fois une prédilection qu'elle me marquait en me tolérant comme compagnon de voyage dans ce pays hivernal et nouveau, et une sorte de fidélité qu'elle me gardait au milieu du malheur. Bientôt l'une après l'autre, comme des moineaux hésitants, ses amies arrivèrent, toutes noires sur la neige. Nous commençâmes à jouer, et comme ce jour si tristement commencé devait finir dans la joie, comme je m'approchais, avant de jouer aux barres, de l'amie à la voix brève que j'avais entendue le premier jour crier le nom de Gilberte, elle me dit : « Non, non, on sait bien que vous aimez mieux être dans le camp de Gilberte, d'ailleurs, vous voyez elle vous fait signe. » Elle m'appelait en effet pour que je vinsse sur la pelouse de neige, dans son camp, dont le soleil en lui donnant les reflets roses, l'usure métallique des brocarts anciens, faisait un Camp du Drap d'or.

Ce jour que j'avais tant redouté fut au contraire un des seuls où je ne fus pas trop malheureux.

Car, moi qui ne pensais plus qu'à ne jamais rester un jour sans voir Gilberte (au point qu'une fois ma grand'mère n'étant pas rentrée pour l'heure du dîner, je ne pus m'empêcher de me dire tout de suite que si elle avait été écrasée par une voiture, je ne pourrais pas aller de quelque temps aux Champs-Élysées; on n'aime plus personne dès qu'on aime), pourtant ces moments où j'étais auprès d'elle et que depuis la veille j'avais si impatiemment attendus, pour lesquels j'avais tremblé, auxquels j'aurais sacrifié tout le reste, n'étaient nullement des moments heureux; et je le savais bien, car c'étaient les seuls moments de ma vie sur lesquels je concentrasse une attention méticuleuse, acharnée, et elle ne découvrait pas en eux un atome de plaisir.

Tout le temps que j'étais loin de Gilberte, j'avais besoin de la voir, parce que cherchant sans cesse à me représenter son image, je finissais par ne plus y réussir, et par ne plus savoir exactement à quoi correspondait mon amour. Puis, elle ne m'avait encore jamais dit qu'elle m'aimait. Bien au contraire, elle avait souvent prétendu qu'elle avait des amis qu'elle me préférait, que j'étais un bon camarade avec qui elle jouait volontiers, quoique trop distrait, pas assez au jeu; enfin elle m'avait donné souvent des marques apparentes de froideur qui auraient pu ébranler ma croyance que j'étais pour elle un être différent des autres, si cette croyance avait pris sa source dans un amour que Gilberte aurait eu pour moi, et non pas, comme cela était, dans l'amour que j'avais pour elle, ce qui la rendait autrement résistante, puisque cela la faisait dépendre de la manière même dont j'étais obligé, par une nécessité intérieure, de penser à Gilberte. Mais les sentiments que je ressentais pour elle, moi-même je ne les lui avais pas encore déclarés. Certes, à toutes les pages de mes cahiers, j'écrivais indéfiniment son nom et son adresse, mais à la vue de ces vagues lignes que je traçais sans qu'elle pensât pour cela à moi, qui lui faisaient prendre autour de moi tant de place apparente sans qu'elle fût mêlée davantage à ma vie, je me sentais découragé parce qu'elles ne me parlaient pas de Gilberte qui ne les verrait même pas, mais de mon propre désir qu'elles semblaient me montrer comme quelque chose de purement personnel, d'irréel, de fastidieux et d'impuissant. Le plus pressé était que nous nous vissions, Gilberte et moi, et que nous pussions nous faire l'aveu réciproque de notre amour, qui jusque-là n'aurait pour ainsi dire pas commencé. Sans doute les diverses raisons qui me rendaient si impatient de la voir auraient été moins impérieuses pour un homme mûr. Plus tard, il arrive que, devenus habiles dans la culture de nos plaisirs, nous nous contentons de celui que nous avons à penser à une femme comme je pensais à Gilberte, sans être inquiets de savoir si cette image correspond à la réalité, et aussi de celui de l'aimer sans avoir besoin d'être certains qu'elle nous aime; ou encore que nous renoncions au plaisir de lui avouer notre inclination pour elle, afin d'entretenir plus vivace l'inclination qu'elle a pour nous, imitant ces jardiniers japonais qui, pour obtenir une plus belle fleur, en sacrifient plusieurs autres. Mais à l'époque où j'aimais Gilberte, je croyais encore que l'Amour existait réellement en dehors de nous; que, en permettant tout au plus que nous écartions les obstacles, il offrait ses bonheurs dans un ordre auquel on n'était pas libre de rien changer; il me semblait que si j'avais, de mon chef, substitué à la douceur de l'aveu la simulation de l'indifférence, je ne me serais pas seulement privé d'une des joies dont j'avais le plus rêvé, mais que je me serais fabriqué à ma guise un amour factice et sans valeur, sans communication avec le vrai, dont j'aurais renoncé à suivre les chemins mystérieux et préexistants (**36**).

Mais quand j'arrivais aux Champs-Élysées — et que d'abord j'allais pouvoir confronter mon amour, pour lui faire subir les rectifications nécessaires, à sa cause vivante, indépendante de moi — dès que j'étais en présence de cette Gilberte Swann sur la vue de laquelle j'avais compté pour rafraîchir les images que ma mémoire fatiguée ne retrouvait plus, de cette Gilberte Swann avec qui j'avais joué hier, et que venait de me faire saluer et reconnaître un instinct aveugle comme celui qui dans la marche nous met un pied devant l'autre avant que nous ayons eu le temps de penser, aussitôt tout se passait comme si elle et la fillette qui était l'objet de mes rêves avaient été deux êtres différents. Par exemple, si depuis la veille je portais dans ma mémoire deux yeux de feu dans des joues pleines et brillantes, la figure de Gilberte m'offrait maintenant avec insistance quelque chose que précisément je ne m'étais pas rappelé, un certain effilement aigu du nez qui, s'associant instantanément à d'autres traits, prenait l'importance de ces caractères qui en histoire naturelle définissent une espèce, et la transmuait en une fillette du genre de celles à museau pointu. Tandis que je m'apprêtais à profiter de cet instant désiré pour me livrer, sur l'image de Gilberte que j'avais préparée avant de venir et que je ne retrouvais plus dans ma tête, à la mise au point qui me permettrait, dans les longues heures où j'étais seul, d'être sûr que c'était bien elle que je me rappelais, que c'était bien mon amour pour elle que

j'accroissais peu à peu comme un ouvrage qu'on compose,
elle me passait une balle ; et comme le philosophe idéaliste
dont le corps tient compte du monde extérieur à la réalité
duquel son intelligence ne croit pas, le même moi qui m'avait
fait la saluer avant que je l'eusse identifiée, s'empressait de
me faire saisir la balle qu'elle me tendait (comme si elle
était une camarade avec qui j'étais venu jouer, et non une
âme sœur que j'étais venu rejoindre), me faisait lui tenir
par bienséance jusqu'à l'heure où elle s'en allait, mille propos
aimables et insignifiants et m'empêchait ainsi ou de garder
le silence pendant lequel j'aurais pu enfin remettre la main
sur l'image urgente et égarée, ou de lui dire les paroles qui
pouvaient faire faire à notre amour les progrès décisifs sur
lesquels j'étais chaque fois obligé de ne plus compter que
pour l'après-midi suivante.

Il en faisait pourtant quelques-uns. Un jour que nous
étions allés avec Gilberte jusqu'à la baraque de notre
marchande qui était particulièrement aimable pour nous
— car c'était chez elle que M. Swann faisait acheter
son pain d'épice, et par hygiène, il en consommait beaucoup [...] — Gilberte me montrait en riant deux petits
garçons qui étaient comme le petit coloriste et le petit natu-
raliste des livres d'enfants. Car l'un ne voulait pas d'un
sucre d'orge rouge parce qu'il préférait le violet, et l'autre,
les larmes aux yeux, refusait une prune que voulait lui
acheter sa bonne, parce que, finit-il par dire d'une voix
passionnée : « J'aime mieux l'autre prune, parce qu'elle a
un ver ! » J'achetai deux billes d'un sou. Je regardais avec
admiration, lumineuses et captives dans une sébile isolée,
les billes d'agate qui me semblaient précieuses parce qu'elles
étaient souriantes et blondes comme des jeunes filles et
parce qu'elles coûtaient cinquante centimes pièce. Gilberte,
à qui on donnait beaucoup plus d'argent qu'à moi, me
demanda laquelle je trouvais la plus belle. Elles avaient la
transparence et le fondu de la vie. Je n'aurais voulu lui
en faire sacrifier aucune. J'aurais aimé qu'elle pût les acheter,
les délivrer toutes. Pourtant je lui en désignai une qui avait
la couleur de ses yeux. Gilberte la prit, chercha son rayon
doré, la caressa, paya sa rançon, mais aussitôt me remit sa
captive en me disant : « Tenez, elle est à vous, je vous la
donne, gardez-la comme souvenir. »

DOCUMENTATION THÉMATIQUE
réunie par la Rédaction des Nouveaux Classiques Larousse

1. PERSPECTIVES ET RELATIVISME

Le grand critique E. R. Curtius a réuni dans un volume, paru en 1928 aux Editions de la Revue nouvelle, un certain nombre d'études sur la littérature française de l'époque. Nous donnons ici deux chapitres, traduits par A. Pierhal, de son important essai sur Proust.

PERSPECTIVES

Proust a remarqué quelque part que la vie spirituelle semble liée chez Stendhal à des hauts lieux, la prison de Julien Sorel, le cachot élevé où est enfermé Fabrice, le clocher qui sert d'observatoire à l'abbé Blanès. On peut établir un même rapport mystérieux entre le spirituel et le spatial chez Proust. Sa méthode de description du monde spirituel est liée à une vision perspective de l'espace. Nous trouvons en plusieurs endroits de ses livres des descriptions si pénétrantes de perspectives visuelles, faites avec une telle tension de l'esprit, que l'on soupçonne qu'elles doivent posséder pour lui une signification spirituelle singulière. Dans le cas des trois clochers de Martinville, par exemple, le facteur le plus important de cet état d'âme qui aboutit à l'exaltation créatrice est la mobilité qu'acquièrent les clochers par suite du mouvement de la voiture et des lacets du chemin. Les clochers abandonnent leurs places respectives ; ils se glissent l'un auprès de l'autre, l'un devant l'autre, se rapprochent, se fuient. La plénitude de sensation de cet instant exceptionnel naît du double déplacement de l'observateur dans sa voiture et des clochers sur le ciel vespéral. Nous retrouvons une situation exactement semblable dans l'essai *Journées en automobile*. Il s'agit, cette fois, des clochers de Caen. Voici ce passage : « Seuls, s'élevant du niveau uniforme de la plaine et comme perdus en rase campagne, montaient vers le ciel les deux clochers de Saint-Etienne. Bientôt, nous en vîmes trois, le clocher de Saint-Pierre les avait rejoints. Rapprochés en une triple aiguille montagneuse, ils apparaissaient comme, souvent dans Turner, le monastère ou le manoir qui donne son nom au tableau, mais qui, au milieu de l'immense paysage de ciel, de végétation et d'eau, tient aussi peu de place, semble aussi épisodique et momentané, que l'arc-en-ciel, la lumière de cinq heures du soir, et la petite paysanne qui, au premier plan, trotte sur le chemin entre ses paniers. Les minutes passaient, nous allions vite et pourtant les trois clochers étaient toujours seuls devant nous, comme des oiseaux posés sur la plaine, immobiles, et qu'on distingue au soleil. Puis, l'éloignement se déchirant comme une brume qui dévoile complètement et dans ses détails une forme invisible l'instant d'avant, les tours de la Trinité apparurent, ou plutôt une seule tour, tant elle cachait exactement l'autre derrière elle. Mais elle s'écarta, l'autre s'avança et toutes deux s'alignèrent. Enfin, un clocher retardataire (celui de Saint-Sauveur, je suppose) vint, par une volte hardie, se placer en face d'elles. Maintenant, entre les clochers multipliés, et sur la pente desquels on distinguait la lumière qu'à cette distance on voyait sourire, la ville, obéissant d'en bas à leur élan sans pouvoir y atteindre, développait d'aplomb et par montées verticales la fugue compliquée mais franche de ses toits. » Par ces perspectives de clochers, la France des cathédrales pénètre dans l'œuvre proustienne. Dans *A l'ombre des jeunes filles en fleurs,* on trouve un autre exemple extrêmement suggestif de cette vision perspective des choses. Le groupe des jeunes filles sur la digue apparaît semblable « à un bosquet de roses de Pensylvanie, ornement d'un jardin sur la falaise, entre lesquelles tient tout le trajet de l'océan parcouru par quelque steamer, si lent à glisser sur le trait horizontal et bleu qui va d'une tige à l'autre, qu'un papillon paresseux, attardé au fond de la corolle, que la coque du navire a depuis longtemps dépassée, peut pour s'envoler en étant sûr d'arriver avant le vaisseau, attendre que rien qu'une seule parcelle azurée sépare encore la proue de celui-ci du premier pétale de la fleur vers laquelle il navigue ». Ces quelques lignes, qui sur le papier occupent bien peu de place, stupéfient tout d'abord, comme l'exemple d'une contention d'esprit absolument extraordinaire. Elles représentent une concentration en mots de l'expérience difficilement surpassable : ce n'est plus de l'expression, c'est de la compression. Maint lecteur passera peut-être auprès de ce passage sans le voir. On doit, pour en assimiler tout le contenu, ralentir considérablement le rythme de la lecture. Alors on s'apercevra aussitôt que le noyau expérimental est ici exactement le même que dans les descriptions des clochers. Ce n'est pas, comme par exemple chez Pieter de Hooch, la vue de plans au repos, disposés l'un derrière l'autre ; pour rendre l'éloignement on se sert de la vision simultanée de deux mouvements, lesquels s'opèrent en même temps, mais dans des plans situés par rapport à nous à des profondeurs différentes.

La relation qui lie deux mouvements saisis dans une vue perspective : cela est manifestement une excitation visuelle qu'accompagne chez Proust une exaltation spirituelle extrême,

et que nous pouvons ressentir à notre tour, en évoquant le
spectacle nocturne d'une grande ville, aperçue d'un point
élevé, quand les trains ou les trams la raient de leurs lumineux sillages. Impressions que doit éprouver un spectateur
céleste, qui considérerait le mouvement des sphères et des
systèmes solaires.

Mais l'infiniment éloigné touche à l'infiniment rapproché.
Ces descriptions de paysages dont l'impression repose sur
deux accommodations de l'œil différentes trouvent leur réciproque dans l'étonnante analyse du baiser que Proust nous
donne ailleurs. Le mouvement du corps, qui conduit la
bouche sur la joue de l'aimée, se décompose pour Proust,
comme sous le « ralenti » du cinématographe, en une suite
d'images dont chacune donne de l'objet une vue nouvelle,
selon une nouvelle mise au point : « D'abord, au fur et à
mesure que ma bouche commença à s'approcher des joues
que mes regards lui avaient proposé d'embrasser, ceux-ci se
déplaçant virent des joues nouvelles ; le cou aperçu plus près
et comme à la loupe, montra, dans ses gros grains, une
robustesse qui modifia le caractère de la figure. » Mais ces
phrases ne paraissent point suffisantes à Proust pour exprimer l'originalité du phénomène. Il cherche des comparaisons
plus précises. Et il trouve ceci : « Les dernières applications
de la photographie — qui couchent aux pieds d'une cathédrale toutes les maisons qui nous parurent si souvent de
près, presque aussi hautes que les tours, font successivement
manœuvrer comme un régiment, par files, en ordre dispersé,
en masses serrées, les mêmes monuments, rapprochent l'une
contre l'autre les deux colonnes de la Piazzetta tout à l'heure
si distantes, éloignent la proche Salute et dans un fond pâle
et dégradé réussissent à faire tenir un horizon immense sous
l'arche d'un pont, dans l'embrasure d'une fenêtre, entre les
feuilles d'un arbre situé au premier plan et d'un ton plus
vigoureux, donnent successivement pour cadre à une même
église les arcades de toutes les autres — je ne vois que cela
qui puisse, autant que le baiser, faire surgir de ce que nous
croyons une chose à aspect défini, les cent autres choses
qu'elle est tout aussi bien, puisque chacune est relative à
une perspective non moins légitime. » Que le lecteur me
pardonne les longues citations. Elles sont aussi indispensables
au critique littéraire que les illustrations ou les projections
lumineuses au critique d'art. Elles donnent cette connaissance immédiate sans laquelle, pour employer le langage
kantien, les concepts restent « vides ». Voici donc la fin de
ce passage : « Bref, de même qu'à Balbec, Albertine m'avait
souvent paru différente, maintenant, comme si, en accélérant
prodigieusement la rapidité des changements de perspective

et des changements de coloration que nous offre une personne dans nos diverses rencontres avec elle, j'avais voulu les faire tenir toutes en quelques secondes pour recréer expérimentalement le phénomène qui diversifie l'individualité d'un être et tirer les unes des autres toutes les possibilités qu'il renferme, dans ce court trajet des lèvres vers sa joue, c'est dix Albertines que je vis ; cette seule jeune fille étant comme une déesse à plusieurs têtes, celle que j'avais vue en dernier, si je tentais de m'approcher d'elle, faisait place à une autre. »

DU RELATIVISME PROUSTIEN

Ce qui était esquissé dans les morceaux sur les clochers ou dans celui sur les jeunes filles au bord de la mer, a atteint, dans cette analyse du baiser, son point de perfection. L'impression visuelle est devenue une construction de l'esprit. Elle s'est épanouie du sensible dans le spirituel. Le matériel et le spirituel sont des témoignages différents d'une seule et même vision. Le relativisme spatial obtenu par le moyen de cette vue perspective des choses acquiert une importance nouvelle : il se révèle comme la forme essentielle selon laquelle s'organise l'expérience tout entière. « De ce que nous croyons une chose à aspect défini », il est possible de « faire surgir les cent autres choses qu'elle est tout aussi bien ». En ce relativisme des perspectives, Proust reconnaît la forme *a priori* de toute acquisition de valeurs. Ceci peut paraître une théorie stérile, qui exprime des évidences à grand renfort de termes spéciaux. Mais, autant elle apparaît aride, formulée abstraitement, autant elle devient importante en art comme principe créateur. Elle est le point de vue central de l'art de Proust, la formule créatrice de son univers. Elle est l'origine commune de toutes les relativités que nous avons distinguées chez lui : relativité du temps et de l'espace, de l'art et de la vie, de l'observation et de la contemplation, du sommeil et de la veille, peut-être de la vie et de la mort.

Ici le mot relativisme universel viendrait naturellement aux lèvres. Mais cette formule pourrait tromper. On pourrait l'interpréter comme énonçant une parfaite indifférence à l'égard de toute valeur, comme abolissant la qualité des choses. On confond volontiers « relativisme » avec « scepticisme ». « Tout est relatif » est considéré comme synonyme de « il n'y a rien qui vaille ». Or, c'est précisément le contraire qui est vrai pour Proust. Pour lui, tout est relatif signifie que tout vaut, que chaque point de vue est fondé. La valeur poétique de notre expérience est aussi peu ébranlée par ce relativisme — que j'appellerais « relationisme » s'il m'était permis de risquer le terme — que l'armature solide de l'univers n'a été touchée par la théorie physique de la relativité. Selon la conception que j'essaie de préciser ici, le fait d'admettre une infinité de points de vue n'entraîne point le nivellement de la réalité objective, ni sa destruction, mais au contraire une énorme extension de son domaine. Le fait que des points de vue infinis sont possibles ne signifie point qu'aucun n'est vrai, mais que tous sont vrais. Ou, comme dit Proust : « L'univers est vrai pour nous tous et dissemblable pour chacun. »

Le faux relativisme (faux comme chez Hegel existe un faux infini à côté du véritable), le relativisme sceptique et destructeur de valeurs appartient aux produits de décomposition où s'exprima l'anarchie spirituelle du XIXᵉ siècle finissant. Reflété dans les périodes chatoyantes et chantantes d'un Renan ou d'un France, il peut séduire comme un aimable jeu de l'esprit, comme une volute de feuillage sur un vase grec. Mais ce que ces écrivains y voyaient — la sagesse souriante et résignée des derniers jours, le résultat ultime du cycle de la pensée humaine — cela n'est plus pour nous que fades lieux communs. Cela ne correspond plus à notre mentalité et a perdu, avec sa vérité, son élégance intellectuelle. Nous ne comprenons ce relativisme, ce dilettantisme comme on dit en France, que du point de vue historique : nous y voyons une manifestation de ce bouleversement qui, sous la poussée des problèmes de toute nature que posa le développement de l'histoire et de sa philosophie, désagrégea la conscience européenne et la désorienta pour tout un temps. La masse chaotique et déconcertante des acquis de toutes les époques et cultures, qui fit irruption dans la pensée du XIXᵉ siècle, exigeait de celle-ci une réadaptation qu'elle ne pouvait tout de suite réussir. Dans ce fossé que creusaient la pente mourante des idéals épuisés et celle, lentement ascendante, de la vie nouvelle, dans ce *point bas,* par conséquent, de la courbe spirituelle de l'humanité pouvait naître le pire relativisme. Mais, lorsque la conscience européenne retrouva son assiette, lorsqu'un nouveau système de coordonnées fut acquis auquel on put rapporter la multiplicité du réel et qui permit de l'organiser, lorsque sortant des soubresauts de l'époque précédente on retrouva un équilibre, on ne nia plus alors l'existence de la relativité ni on ne capitula, non plus, devant elle, mais on l'engloba, comme partie intégrante, dans la structure de l'univers.

Barrès créa cette formule, pour caractériser le bouleversement spirituel dans lequel sa génération se trouva prise : « le passage de l'absolu au relatif ». Qui sait si plus tard un critique n'établira point que notre temps a découvert le passage du relatif à l'absolu, à un équilibre où le relatif a sa place à un relativisme positif et fécond. Que chaque sujet possède son point de vue propre ne signifiera plus une dissolution de l'objectif mais une multiplication du réel. Chaque point de vue subjectif crée un nouvel objet, en sorte que le relativisme sceptique se transforme en un nouvel objectivisme, qui multiplie les dimensions de l'être et de la connaissance, et étend le domaine des vérités. C'est grâce à ce relativisme nouveau, à ce « perspectivisme » que la conscience en formation du xxe siècle vaincra le faux relativisme du xixe. S'étonnera-t-on qu'une œuvre littéraire nous conduise à de telles considérations ? Pourtant, les organes hypersensibles de l'artiste sont toujours les premiers à enregistrer une nouvelle façon de voir l'univers. Si, en histoire, la prévision n'est pas une activité vaine ; autrement dit : si l'on peut dessiner à l'avance les traits essentiels d'une époque future, cela ne peut se faire qu'en partant de l'art, jamais des travaux des historiens, jamais de la philosophie de l'école : « Les romans, a dit Frédéric Schlegel, sont les dialogues socratiques de notre temps ; dans cette forme libre s'est réfugiée la sagesse de la vie, qui a fui les philosophes. » Les œuvres créatrices de la littérature et de l'art sont les bornes milliaires qui nous permettent de dessiner la courbe de l'esprit moderne. Le relativisme proustien marque, selon nous, un tournant de la pensée humaine dont on n'a pas encore mesuré l'importance, comme de la nouvelle figuration de l'espace où s'est engagée la peinture moderne.

Ce que l'art de Proust nous offre de plus surprenant, c'est qu'une attitude spirituelle si exceptionnelle, une optique et un style se soient réalisés dans une matière qui, à tous les points de vue, est rétrospective. L'effort pour rendre à nouveau présente notre existence évanouie, la recherche du temps disparu, l'amour d'une tradition qui embrasse aussi bien la culture spirituelle que la vie sociale, le milieu que la classe, tout cela nous montre l'œuvre de Proust liée au passé. C'est une liaison voulue. Rien n'est plus éloigné que cet art des allures, des manières et des manies d'un modernisme esthétique. Cet art est antirévolutionnaire. On peut le qualifier de réactionnaire et de décadent, pourvu que l'on entende par « décadence » une manifestation artistique, une forme nouvelle de la beauté (comme l'a été le romantisme), une découverte esthétique de la fin du xixe siècle qui conserve toujours sa valeur, même si le goût du jour lui préfère le sport, l'action, le cinéma ou d'autres formes de la « santé ». L'art de Proust ne se laisse englober dans aucun « courant » de la pensée contemporaine. Il est l'œuvre d'un esprit solitaire et indépendant, qui a renoncé au monde. Il est moderne non pas en surface mais en profondeur. Aussi rayonnera-t-il encore de tout son éclat alors que le feu d'artifice des modes littéraires d'aujourd'hui et de demain sera depuis longtemps éteint.

On ne trouve dans cet art aucune trace d'une exaltation factice, rien non plus de crispé. Il durera grâce à son intensité spirituelle, laquelle provient d'un travail lent, scrupuleux, concentré — non pas d'une chasse aux formes et aux sensations nouvelles. Il ne veut pas devancer le temps, mais se hausser hors de son atteinte.

2. *DU CÔTÉ DE CHEZ SWANN,* ANALYSÉ PAR J.-E. BLANCHE

Peintre, écrivain et critique d'art, J.-E. Blanche dans *les Nouvelles littéraires,* parle du livre de son ami Marcel Proust.

Devant la folie de la production contemporaine, nous devenons sceptiques, reculons d'effroi en présence d'un livre un peu long ; notre attention ne se soutient guère au-delà des limites d'un conte, d'un article ; or, voici un volume de cinq cents pages, dru, pesant, plus noir que blanc, sans chapitres, qu'on nous présente comme un chef-d'œuvre : il n'y a pas à reculer, il faut le lire.

Je l'attendais depuis longtemps. Je croyais à peine que l'ermite volontaire d'aujourd'hui, devenu invisible après s'être tant répandu jadis, nous donnât jamais ce que son merveilleux esprit nous avait promis. Marcel Proust braqua sa lorgnette sur ses contemporains, comme l'abonné de l'Opéra sur les spectateurs, les acteurs et les décors. On ne s'en étonnerait pas si pareil observateur de la vie parisienne, reçu dans les salons, dont il scruta les mystères avec sympathie mais avec l'acuité d'une très moderne compréhension, laissait, après lui, des mémoires, un tableau de son époque, plein de saveur, des documents inappréciables sur la société. Mais c'est à tout autre chose qu'il travaillait loin de nous, et nous regrettons moins, sachant désormais à quoi nous en tenir, sa claustration opiniâtre.

Tout jeune encore, M. Proust fut contraint d'à peine quitter son logis, de s'y calfeutrer. Il y établit une « chambre claire », d'où, sans bouger, il pût suivre les promeneurs du

dehors se reflétant dans un exact miroir, et réduits à la proportion d'insectes ; de son fauteuil, dans la pièce close, il
continua d'observer ; mais la nuit, l'appareil cessant de fonctionner, ce furent d'interminables heures de lucide insomnie,
celles où l'on devient pour soi-même le principal objet de
son propre intérêt. La vie extérieure s'étant ralentie pour
M. Proust, il passa en revue, comme l'on fait, dit-on, à la
minute où un accident se produit, vertigineusement, éclairés
au magnésium, tous sur le même plan, des faits, des gens,
qui, dans des circonstances normales, se fussent estompés
petit à petit sur sa rétine.

Le cas de M. Proust, si rare dans la pleine force de l'âge,
me rappelle un autre ami, fort âgé celui-là, qui, sur sa chaise
longue, aveugle, presque sourd, me disait : « Ne me plaignez
pas ! je m'amuse, et voudrais que cela durât des siècles :
je me raconte des histoires, je me ressouviens. »

Du côté de chez Swann, est le livre de l'insomnie, de la
pensée qui veille dans le silence et les ténèbres. Mais c'est
un livre débordant de vie, divers et un, si plein de détails
également notés, que, selon votre disposition, lecteur, vous
ne pourrez plus le quitter, dès que vous y serez aven-
turé, ou bien le fermerez, si quelque souci vous prive de
la concentration requise par ce formidable registre de menus
faits. Je m'y sens comme dans un salon aux parois de glaces,
qui s'élargit dans tous les sens, où les images se multiplient
à l'infini et se rapetissent en même temps.

M. Proust n'a pas tenu un journal, mais s'est donné le plaisir
d'une sorte de cinéma, dont il reconstitue les épisodes, où il
pose lui-même pour plusieurs personnages, jette à son gré
le manteau de l'un sur les épaules de l'autre, ou sur les
siennes.

Certains lui reprochèrent un manque de sélection : ceux,
surtout, qui ne font commencer l'art qu'avec le choix ; mais
l'art n'a point de règles immuables. *Du côté de chez Swann*
est un ouvrage difficile à classer, plus encore à comparer
avec quoi que ce soit : il est sans précédent dans notre littérature. Ce que M. Proust voit, sent, écrit, est d'une complète
originalité. On cita Méredith, Dickens, d'illustres noms
étrangers, à propos de lui. Or, ceci vient de France, ne
pourrait être d'ailleurs, et date de la fin du dix-neuvième
siècle. Ceci est d'un impressionniste qui serait un graveur en
taille-douce et, j'ose à peine le dire, tant ce vocable fait
peur à présent : d'un homme du monde. L'audacieux se
lance dans les entrelacs et les arabesques d'interminables
périodes, claires pourtant, pittoresques et, quand elles ne
s'attardent pas à tresser trop de fleurs, solides et nettes,
souples, lourdes de sens.

Pendant une longue convalescence, un homme renoue avec la vie ; mais, encore contraint à des ménagements, il n'en reçoit encore les reflets qu'à travers les rideaux de sa fenêtre ; il est tout à lui-même, pense, se souvient et se retrouve lentement, par fragments. Des tableaux défilent devant ses yeux, sans ordre, au hasard de la rêverie solitaire, car au bout d'un très long temps la mémoire perd le fil des événements dans leur succession rigoureuse. S'il s'agit de mes souvenirs d'enfance, jurerais-je que ceci précéda cela ? Je ne cherche même plus à ressouder la chaîne, je crois encore toucher certains anneaux, d'autres me manquent.

M. Proust court d'un souvenir à l'autre, capricieusement, nous transporte dans une petite ville de province, décrit les manies de la grand'mère chez qui l'on passe les vacances de Pâques, les habitants de la maison et du bourg, les voisins de campagne. C'est un M. Swann, ami de son père, qui espace ses visites depuis son mariage clandestin. On chuchota des histoires au sujet de ce couple disparate, des critiques qui intriguèrent l'enfant, et maintenant, la pensée du convalescent reconstitue cet étrange Swann, sorte de Protée insaisissable, toujours autre, selon les gens qu'il fréquente, ne faisant jamais allusion devant ceux-ci à ceux-là. *Un amour de M. Swann* forme à lui seul la seconde partie du volume et un roman de la passion et de la jalousie, d'une prodigieuse analyse, douloureuse et humaine, où l'amour démasque l'acteur et montre l'homme, l'amant, dans sa vérité et ses faiblesses. Oserai-je la comparer, cette étude, à l'immortel *Adolphe ?* Après ces pages si liées, nous retournons au château de M. Swann. C'est là que le conteur entrevit, dans son enfance, la petite Gilberte, la fille de Swann et de la réprouvée. Souvenirs, tableaux, esquisses, aussi peu coordonnés que les premières pensées au matin, à l'heure où l'imagination court à l'aventure : telle est la matière du long morceau que Marcel Proust détache, pour notre plaisir immédiat, et en attendant deux autres parties, d'une trilogie qu'il aurait voulu publier d'un seul coup et intitulée : *A la recherche du temps perdu.*

Ce premier volume, le voici donc et, tel quel, un rare régal, une bouffée d'air qui dissipe les soporifiques vapeurs de la production courante. Dès son apparition, il enchanta les uns, alarma les autres, car son approche est, dit-on, difficile. Il se présente comme toute œuvre d'exception, originale et belle.

Du côté de chez Swann (lisez et vous verrez comme ce titre déroutant fut bien choisi) porte en soi d'irrésistibles sortilèges. Il évoque un Paris qui n'est plus ; sans être un livre « à clef », j'y reconnais deux ou trois modèles dans chaque personnage ; il a la saveur d'une autobiographie et d'un essai, déborde de sensibilité et d'intelligence. L'auteur a l'allure de ces jeunes gens de la bourgeoisie d'hier, lettrés, artistes, les premiers qui s'évadèrent de chez eux, partirent, la narine frémissante, pour faire le tour de la multiple société parisienne et en analyser les parfums.

Jusqu'ici, un roman mondain nous sembla presque toujours insipide, sinon ridicule. Pour bien décrire le monde, il faut n'en être pas ébloui, l'aimer, mais en rire. *Du côté de chez Swann*, c'est, parfois, du côté du faubourg Saint-Germain, du côté de la bourgeoisie et des artistes, de bien d'autres côtés encore, et cela ne cesse jamais d'être de l'art le plus prestigieux.

M. Proust, comme un Bertillon, possède des fiches, des empreintes, n'a qu'à ouvrir ses tiroirs, pour reconstituer des personnages touchants ou cocasses. A ses qualités de médecin aliéniste et de psychologue, il ajoute le rare piment d'une fine ironie, qui serait implacable, si la sympathie ne la tempérait. Il est spirituel et profond. Il y a du Granville chez M. Proust ; comme ce fameux dessinateur, il regarde les êtres, d'en haut ou d'en bas, en raccourci ou plafonnant ; il les voit sous des angles singuliers, je dirais presque qu'il suggère la quatrième dimension des cubistes. C'est par l'accumulation des détails qu'il triomphe ; il franchit les plus dangereux obstacles et, à notre première sensation de fatigue, nous ressaisit et nous entraîne. Ce curieux-là écrit pour les curieux, ses frères. Vous qui comme moi ne vous ennuyez jamais avec les nouveaux venus, si les types humains, à quelque classe qu'ils appartiennent, vous intéressent, entrez dans ce panorama et vous y trouverez votre récompense.

Si, visitant un village, vous vous renseignez sur l'époque dont l'église date, mais ne souhaitez pas de savoir ceux qui la fréquentent, comme on vit sous d'humbles toits dont la façade n'est point historique, alors, ce village, cette rue, seront pour vous quelconques, sans attrait. M. Proust, lui, s'arrêta partout, passionnément, regarda les autres, comme l'œil d'un martin-pêcheur le fond de la rivière, et son coup de filet fut fécond. Ayant suivi, avec une égale compréhension, les mouvements de la vieille servante Françoise et les gestes de la princesse des Laumes, les principaux acteurs et les comparses de son livre, il dissèque et nous révèle une multitude d'êtres à qui vous n'auriez peut-être pas fait attention, et dont il nous peint d'inoubliables portraits. Chaque lecteur en reconnaîtra beaucoup comme des intimes, soulignera telle phrase qu'il lui semblera avoir entendue, ou pensée ; mille sensations décrites par l'auteur nous en rappellent de pareilles, dont nous ne nous étions pas avisés, qui nous troublèrent sans que nous y ayons pris garde. Il nous les restitue et nous les explique.

La perspicacité de M. Proust s'est accrue, au lieu de s'émousser dans la solitude, au loin de la foule affolante. Il regarde les hommes, avec une loupe, longuement, patiemment, distingue en eux des nuances qui nous échappent, à nous, gens trop pressés dans le siècle. Ce livre ne pouvait être écrit que dans la clairvoyance redoutable de l'insomnie nocturne. Il est presque trop lumineux pour l'œil qui ne voit qu'à demi, en plein jour.

JUGEMENTS SUR MARCEL PROUST

Les hommes pour Proust sont les produits d'un sol déterminé, comme les arbres et les fleurs. On pourrait diviser les grands écrivains qui ont dépeint la société en deux classes, suivant qu'ils la conçoivent comme une faune, une ménagerie, ou comme une flore. Chez Proust, c'est la seconde conception, la végétale, qui prédomine, et il l'exprime avec une perfection qu'on retrouverait difficilement ailleurs. [...] L'être humain apparaît à Proust enraciné au sol, transformant ses sucs en ramures et en fleurs, soumis à toutes les vibrations de l'atmosphère.

> E. R. Curtius,
> *Proust* (trad. Pierhal, 1928).

Avec Proust pour guide, vous perdez l'image d'une partie de vous-même : votre perspicacité, votre subtilité y gagnent : votre humanité s'y atrophie.

> P. Abraham,
> *Proust* (1930).

Voyez comme Proust va à l'objet. Étudiez de près ses métaphores aquatiques ; on dirait qu'il ne peut faire apparaître l'objet qu'en le déformant ; plus réel, l'objet vu à travers d'autres objets, plus réel que dans sa vérité nue.

> Alain,
> *Propos de littérature* (1934).

Le temps perdu de Proust est un temps retrouvé. Les fouilles dans la mémoire de l'auteur s'accordent à des fouilles dans la mémoire épaisse de la littérature, dans une tradition qui remonte à Montaigne, qui passe par Saint-Simon, qui n'est pas étrangère au Sainte-Beuve de *Volupté*, et à laquelle, chez les philosophes, Maine de Biran et Amiel d'une part, Bergson de l'autre, ont donné une bonne conscience. [...] De sorte que dès qu'avec Proust un certain sentiment de familiarité s'est établi, on a reconnu qu'on l'attendait, que le roman français faisait là une de ses remontes naturelles et nécessaires, et que, comme les plus grands, comme Balzac, Flaubert, Maupassant ou Renard, Proust ne le laisserait pas tel qu'il l'avait trouvé.

> A. Thibaudet,
> *Histoire de la littérature française de 1789 à nos jours* (1936).

Station importante du vingtième siècle commençant, comme ces villes peu éloignées du point de départ qui ont servi jadis de terminus aux nouvelles lignes de chemin de fer et qui ne sont plus aujourd'hui que des étapes sur un itinéraire beaucoup plus long, elle [l'œuvre de Proust] sera dépassée sans doute, elle sera « brûlée » rarement. La somme considérable d'intelligence qu'elle a capitalisée conduira nos visions futures.

R. Fernandez,
Proust (1943).

Toute *la Recherche du temps perdu* est l'œuvre d'une sorte d'enfant-monstre, dont l'esprit aurait toute l'expérience d'homme et l'âme dix ans.

Maurice Sachs,
le Sabbat (1946).

Du seul point de vue littéraire, c'est la faiblesse de cette œuvre et sa limite : la conscience humaine en est absente. Aucun des êtres qui la peuplent ne connaît l'inquiétude morale, ni le scrupule, ni le remords, ni ne désire la perfection. Presque aucun qui sache ce que signifie pureté ; ou bien les pures, comme la mère ou comme la grand-mère du héros, le sont à leur insu.

F. Mauriac,
Du côté de chez Proust (1947).

L'œuvre de Proust est parfaitement bien une observation sur la vie, sur les mœurs, sur certains mécanismes psychologiques ; elle est parfaitement bien critique, mais Proust ne veut pas qu'elle soit cela, et toutes ses déclarations sur son œuvre protestent qu'il n'a jamais voulu mettre que lui-même, qu'elle relève de la méthode artistique en ce qu'elle est celle du poète et n'a rien à voir avec une méthode objective, soi-disant scientifique, pour laquelle il n'a que mépris.

J. Benda,
Trois Idoles romantiques (1949).

L'œuvre de Marcel Proust [...] est l'une des plus hautes de toute la littérature française. Des grandes œuvres, elle a l'ampleur et l'autorité mystérieuse, la cohérence secrète et l'infini pouvoir de suggestion. [...] Plus puissamment qu'ailleurs circule ici la sève même du romanesque : l'événement a son rythme et son éloquence, la durée pèse et s'étale, le temps du récit s'impose comme l'étoffe même de la vie, une complicité profonde avec toutes les formes de l'humain permet aux personnages les plus divers d'apparaître.

G. Picon,
Panorama de la nouvelle littérature française (1949).

Proust ne va pas assez avant dans ses personnages ; il reste à mi-chemin entre l'apparence sociale et la réalité profonde.

C.-E. Magny,
Histoire du roman français depuis 1918 (1950).

QUESTIONS SUR « DU CÔTÉ DE CHEZ SWANN »

1. Dégagez le rôle de la sensation et celui de la métaphore dans cette description.

2. Dans quelle mesure le portrait de la tante Léonie est-il ironique ?

3. Françoise : la paysanne, la servante, la représentante involontaire du passé.

4. Appréciez la fidélité du dialogue : les expressions, la syntaxe, le rythme des phrases.

5. Comment se combinent dans la description de l'église le sentiment religieux et celui du passé ?

6. Le portrait d'Eulalie fait-il partie intégrante du roman ou est-il un morceau d'anthologie ?

7. Dans toutes les pages qui précèdent, quel aspect prend pour le narrateur le sentiment de la nature ?

8. Dans quelle mesure Bergotte ainsi dépeint évoque-t-il pour vous Anatole France ?

9. Quelle est l'importance symbolique de ces deux « côtés » ?

10. Avec quelles intentions Proust a-t-il intercalé cette description de fleurs à cet endroit du roman ?

11. Quel est le rôle de la Vivonne dans le récit ?

12. Relevez, dans l'ordre, toutes les indications éparses qui concernent la duchesse de Guermantes, et cherchez l'impression qui s'en dégage progressivement.

13. Quel rôle joue le thème de Geneviève de Brabant, qui revient à plusieurs reprises ?

14. Le jeu des couleurs dans la description de la duchesse de Guermantes.

15. Étudiez le vocabulaire du cénacle Verdurin, sa valeur satirique.

16. Comment pourrait-on faire le portrait des Verdurin, d'après ces quelques pages ?

17. Quels sentiments Proust éprouve-t-il, et veut-il nous faire éprouver, à l'égard du docteur Cottard ?

18. Le cénacle Verdurin et l'hôtel de Rambouillet : ressemblances et différences.

19. Par quels procédés Proust rend-il sensibles dans ses phrases les effets sonores de la musique ?

20. L'association entre la musique et les sentiments.

21. Comment Proust a-t-il rendu le contraste entre la noblesse de la sonate et la vulgarité des Verdurin ?

22. D'après Proust, il existe chez tous les amoureux, même les plus sincères, des « intermittences du cœur ». A l'aide de ce passage et de ceux qui suivent, vous analyserez les intermittences du cœur de Swann.

23. Analysez la jalousie de Swann, et son art de se torturer lui-même.

24. Quel est le rôle des objets inanimés dans l'amour de Swann ?

25. Quel est le but de ces multiples références à l'art de la Renaissance ?

26. Analyse littéraire de la « tirade des monocles ». But, place. composition, moyens d'expression, rythme.

27. Comment Proust s'y est-il pris pour différencier, au cours d'une soirée mondaine, des personnages que nous ne faisons qu'entrevoir ?

28. La musique chez les Verdurin et la musique chez les Saint-Euverte : comparez l'attitude de ces deux milieux à l'égard de l'art.

29. Swann et la phrase de Vinteuil : en quoi ses sentiments sont-ils différents de ceux qu'il a ressentis quand il l'a entendue chez les Verdurin ?

30. Vous semble-t-il que Proust analyse correctement le processus de la création musicale ?

31. Le caractère de Mme Cottard. Qu'est-ce qui en est dit ? Qu'est-ce qui est suggéré ?

32. Le rôle de l'imagination chez le narrateur.

33. Le narrateur à l'époque de cette rêverie. Sont-ce des réflexions d'enfant ou d'adulte ?

34. Que devine-t-on de Gilberte d'après ces indications ?

35. Proust peintre de l'hiver parisien. Les couleurs. Les éclairages.

36. Comparez les sentiments du narrateur à l'égard de Gilberte avec ceux de Swann pour Odette.

SUJETS DE DEVOIRS

Narrations :

— Une soirée chez les Verdurin. Les habitués discutent les mérites de *Du côté de chez Swann*, qui vient de paraître.

— Extraits du journal intime de Gilberte, laissant apparaître les sentiments qu'elle éprouve à l'égard du narrateur

Dissertations :

— Les premiers lecteurs de Proust ont été déconcertés par ce roman, parce qu'il ne s'y passait rien. Dans quelle mesure l'auteur excite-t-il l'intérêt de curiosité élément traditionnel du plaisir romanesque ?

— Que pensez-vous du rapprochement, devenu banal, entre la technique descriptive de Proust et celle des peintres impressionnistes ?

— De quelle façon Proust se sert-il des œuvres d'art et des personnages que ces œuvres décrivent pour peindre la réalité ?

— Les personnages de Proust vous paraissent-ils déterminés surtout par des particularités individuelles ou par leur appartenance à un milieu social ?

— Peut-on trouver à la base de *Du côté de chez Swann*, comme dans certains romans de Balzac, une opposition fondamentale entre Paris et la province ?

— Proust a écrit dans *le Temps retrouvé :* « Quelques-uns voulaient que le roman fût une sorte de défilé cinématographique des choses. Cette conception était absurde. Rien ne s'éloigne plus de ce que nous avons perçu en réalité qu'une telle vue cinématographique. » En quoi la vision du passé chez Proust est-elle différente de celle qu'il condamne ?

— Quel est le rôle de l'image dans le style proustien ?

TABLE DES MATIÈRES

Mame Imprimeurs - 37000 Tours.
Dépôt légal Juin 1973. – N° 20427. – N° de série Éditeur 14514.
IMPRIMÉ EN FRANCE (Printed in France). – 870 135 G Mai 1988.